RACONTE-MOI LA VIE

A mes chers Mathieu et Marie-Claire,
avec tous mes voeux de joyeux Noël et
de nouvel An. Que 1995 soit une très belle
année pour vous deux et toute l'affection
de votre amie de France dans ce livre sur la Vie.

[illegible]

Châtellerault. Noël 1994

RACONTE-MOI LA VIE

SOMMAIRE

L'enfance est notre passé, mais elle est aussi notre avenir.

Raconte-moi la vie **est un cri d'espoir pour que le cercle de la vie ne se brise pas, pour aider ceux qui cherchent à préserver les générations futures.**

À tous les écrivains et à tous les comédiens qui ont répondu avec tant de générosité et d'inspiration à notre appel, merci du fond du cœur ; à tous ceux qui achèteront ce livre ou cet album pour en lire les contes avec leurs enfants ou les écouter en famille, merci d'avance.

Raconte-moi la vie **est le fruit d'un an d'efforts et de rêves ; il en porte davantage encore en lui.**

Au nom de ceux qui espèrent, que tous ceux qui ont bien voulu nous aider soient ici remerciés.

PIERRE SISSMANN

The Walt Disney Company France

Il était une fois des écrivains très occupés. On les sollicitait de toutes parts, en proportion de leur notoriété. Mais ils n'avaient jamais le temps d'écrire d'autres textes que ceux qu'ils avaient prévu d'écrire. Il faut dire qu'on leur demandait toujours la même chose. Alors ils répondaient : « Non... non, merci... pas vraiment... pas tout de suite... » On n'osait pas leur demander quelque chose de différent. De crainte qu'ils aient le cœur sec. De peur que cela paraisse incongru. Et par timidité aussi, sans songer un instant que, bien souvent, les écrivains sont plus timides que leurs lecteurs.

Un jour, on leur a demandé d'écrire un conte afin d'aider ces enfants qui ont tout pour être heureux sauf le bonheur. Pour certains, ce fut une expérience inédite ; pour d'autres, une vieille habitude. Aux premiers, on a dit : « Ce n'est pas si dur de ne pas écrire pour des adultes, il suffit d'un bon début, dans cet esprit par exemple : *il était une fois en banlieue parisienne un chef d'orchestre qu'on appelait Ici-les-Moulinets...* » Aux seconds, on a dit : « Vous connaissez la musique... » Mais tous ont accepté immédiatement avec un enthousiasme, une ferveur et une gentillesse désarmantes. Comme si, de leur point de vue, il eut été impensable de refuser. Car il est des causes pour lesquelles il serait indigne de ne pas s'engager.

Pour infléchir le cours des événements et refuser qu'un fléau soit une fatalité, un écrivain ne dispose que de sa plume et de son nom. Neuf d'entre eux nous les ont donnés. Avec Régine Deforges, nous partirons donc sur les traces d'Olga à la recherche du merveilleux et avec Bernard Clavel nous suivrons une cigogne strasbourgeoise réputée pour son mauvais caractère, tandis que grâce à Alexandre Jardin,

nous ferons connaissance d'un homme toujours nu à force de se faire une idée de lui-même. Jeanne Bourin réveillera notre nostalgie des amitiés d'été et Claude Roy celle des maisons si vivantes quand des petits diables les mettent sans dessus dessous. Jean-Marie Le Clézio nous racontera une histoire tellement vraie qu'elle aura l'air d'un rêve et Érik Orsenna nous dira celle si répandue et si exceptionnelle d'un écolier qui ne s'intéressait pas aux études. Et nous voyagerons loin, toujours plus loin, du Ménilmontant drôle et attachant de Patrick Modiano à cette fabrique de rêves de toutes les tailles et de toutes les couleurs qu'est le désert de Tahar Ben Jelloun.

Tout conte fait, ils offrent ainsi la clef de leur paradis intérieur à des milliers d'inconnus fraternels. Avec une couleur, un frémissement, des petits riens, ces écrivains nous racontent la vie. Chacune de leurs histoires pourrait porter en exergue ce mot bombé en lettres d'espoir sur un mur de Paris :

«Nous sommes si jeunes, nous ne pouvons pas attendre !»

Pierre Assouline

PATRICK MODIANO

LES CHIENS DU SOLEIL DE LA RUE

ILLUSTRATIONS DE ZINA MODIANO

Guy des Lilas
Jean-Claude de Belleville
Dino de la Villette.
Zé du Pré-Saint-Gervais
Jean-Pierre de Charonne
Ralph de Pantin
Douglas de Montreuil
Paolo de Fontarabie
Max de Ménilmontant

C'est ma fille qui m'a fait connaître les chiens de la rue du Soleil. Elle habite entre le village de Charonne et le village de Ménilmontant, et en se promenant un jour à Ménilmontant, elle est arrivée dans la rue du Soleil.

Cette rue s'appelle la rue du Soleil pour une raison bien simple : c'est le seul endroit de Paris où il y a toujours du soleil. Ailleurs, il peut neiger ou pleuvoir, mais dans cette rue il fait toujours beau. Et pas trop chaud. Du soleil et une brise très légère. Un temps de rêve.

Ma fille était partie, cet après-midi-là, avec son carnet à dessins et son appareil-photo. Un groupe de chiens étaient réunis sur le trottoir, dans la rue du Soleil. Ils parlaient entre eux et la conversation était très animée. Ma fille s'est assise sur une marche, à l'entrée d'une maison, et elle a pris une photo des chiens sans attirer leur attention. Puis elle a ouvert son carnet à dessins et elle a commencé à les dessiner.

L'un des chiens — celui qui était noir et qui portait une casquette bleu ciel et des lunettes de soleil — s'est retourné et il a vu ma fille. Alors, il a marché vers elle, pendant que les autres continuaient à parler entre eux.

« Dites-moi, mademoiselle, qu'est-ce que vous faites là ? »

Il a regardé le carnet à dessins.

« Ah oui... Je vois... Vous êtes artiste peintre... Mais vous auriez pu nous demander l'autorisation avant de nous dessiner... Et en plus, vous prenez des photos... »

Il n'avait pas l'air vraiment fâché. Tout juste un peu

Guy des Lilas

contrarié. Les autres chiens avaient interrompu leur conversation et ils étaient venus rejoindre le chien noir aux lunettes de soleil. Eux aussi ont regardé le dessin.

« Vous êtes la première artiste peintre qui venez pour nous dessiner, a dit le gros chien blanc qui portait une chemise rouge. Vous habitez dans le quartier ? »

Ma fille leur a dit qu'elle habitait un peu plus bas, du côté de Charonne. Alors, ils ont parlé entre eux, à voix basse. Et le chien noir à la casquette bleu ciel a fini par dire :

« Eh bien, voilà... Nous voudrions que vous fassiez le portrait de chacun de nous... Quand une artiste peintre passe par la rue du Soleil, autant en profiter... »

Jean-Claude de Belleville

Et chacun leur tour, ils sont venus poser pour leur portrait. Au fur et à mesure, ma fille écrivait leur nom au bas du portrait :

Dino ;
Max ;
Ralph ;
Jean-Pierre ;
Guy ;
Zé ;
Jean-Claude ;
Paulo ;
Douglas.

Pour la remercier d'avoir fait leur portrait, les chiens de la rue du Soleil ont invité ma fille à déjeuner dans un restaurant proche du parc des Buttes-Chaumont. J'étais convié à ce repas, moi aussi.

Dino de la Villette.

Nous avons parlé de choses et d'autres. Le chien Jean-Claude nous a dit que c'était quand même bizarre qu'aucun peintre ne se soit intéressé à la rue du Soleil avant ma fille. Ils préféraient peindre la tour Eiffel ou le Sacré-Cœur, ou la place de la Concorde. Le chien Zé a ajouté que c'était peut-être un avantage : trop de tableaux de la rue du Soleil attireraient les touristes avec leurs cars, et il y aurait des encombrements. Jusqu'à présent, aucune voiture ne passait rue du Soleil, on pouvait s'asseoir au milieu de la rue sans crainte d'être dérangé. On était tranquilles, quoi.

Zé du Pré-Saint-Gervais

Guy, le chien noir à la casquette bleu ciel, a demandé à ma fille de ne pas montrer à tout le monde les dessins qu'elle avait faits de la rue du Soleil.

« Soyez rassuré, a dit ma fille. Je n'ai pas l'habitude d'être indiscrète… »

Ils ont expliqué qu'ils avaient accroché leurs portraits dans leurs chambres après les avoir entourés d'un cadre et ils ont encore félicité ma fille pour ces portraits si ressemblants.

À la sortie du restaurant, nous avons tous marché jusqu'à la rue du Soleil. Le temps était gris et la pluie s'est mise à tomber au moment où nous traversions la place des Fêtes. C'était embêtant parce que nous n'avions pas de parapluies.

« Ne vous en faites pas, a dit le chien Paulo. La pluie ne va pas durer. »

Et en effet, à peine avions-nous mis les pieds et les pattes dans la rue du Soleil que la pluie s'est arrêtée et que

Jean-Pierre de Charonne

le soleil brillait. Du soleil et une brise très légère. C'était vraiment un temps de rêve.

« Ça, c'est l'avantage de la rue du Soleil », a dit le chien Jean-Pierre.

Nous nous sommes assis là, en cercle sur le trottoir, et les chiens ont commencé à nous raconter comment eux, les chiens, ils avaient découvert la rue du Soleil. Ils étaient tous des chiens des environs, nés dans les villages de Pantin,du Pré-Saint-Gervais, de Belleville et de Ménilmontant. En hiver, ils avaient froid et il était très difficile, par exemple, de traverser le Pré-Saint-Gervais recouvert de neige. Il aurait fallu des skis, mais chaque fois que les chiens Dino, Max, Ralph ou Jean-Pierre allaient dans un magasin de skis, on leur disait :

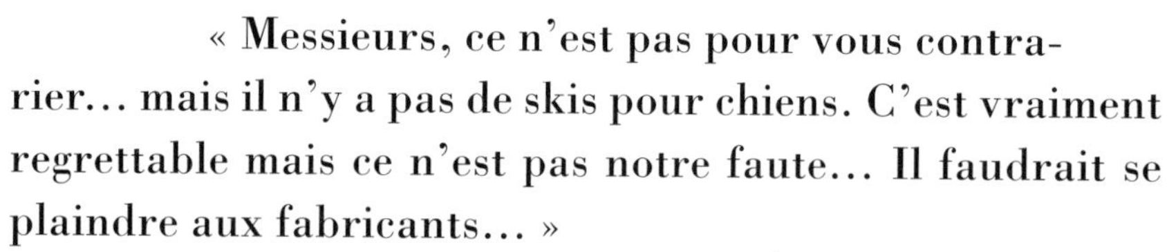

« Messieurs, ce n'est pas pour vous contrarier... mais il n'y a pas de skis pour chiens. C'est vraiment regrettable mais ce n'est pas notre faute... Il faudrait se plaindre aux fabricants... »

Alors, ils marchaient dans la neige, sous le ciel gris. Jusqu'à ce jour de février où le chien Guy avait été pris dans une tempête de neige du côté de la place des Fêtes, et tentait de trouver un abri. Il marchait au hasard, aveuglé par les flocons de neige, lorsqu'un vague rayon de soleil est apparu dans le ciel. Le chien Guy a marché dans sa direction. À mesure qu'il avançait, les flocons de neige tombaient de moins en moins nombreux et puis ils se sont arrêtés. Et le rayon de soleil brillait de plus en plus fort. Encore quelques pas et ce n'était plus l'hiver, et le chien Guy se trouvait dans une rue ensoleillée, en été. Elle s'appelait la rue du Soleil.

Ralph de Pantin

Paulo de Fontarabie

Il est resté quelque temps dans la rue pour vérifier si ça continuait comme ça. Mais oui. Pas un nuage dans le ciel bleu. Et dès qu'il quittait la rue, c'était de nouveau le ciel gris et l'hiver.

« Il faut que je prévienne les autres », a pensé le chien Guy.

La nouvelle s'est répandue très vite parmi les amis du chien Guy. C'était facile de les trouver. Ils se baladaient tous dans les environs. Ils portaient chacun le nom de leur village :

Douglas de Montreuil

Dino de la Villette ;
Max de Ménilmontant ;
Ralph de Pantin ;
Jean-Pierre de Charonne ;
Zé du Pré-Saint-Gervais ;
Jean-Claude de Belleville ;
Paulo de Fontarabie ;
Douglas de Montreuil.

Guy s'appelait Guy des Lilas, parce qu'il était originaire du village des Lilas.

Ils se sont réunis, le premier soir, rue du Soleil. L'hiver, le jour tombe vers cinq heures de l'après-midi et autour d'eux, il faisait nuit sauf dans la rue du Soleil, où ils se trouvaient au cœur d'un bel après-midi d'été. Le jour ne tomberait ici qu'à dix heures du soir. Ils avaient le temps de profiter du soleil.

Les maisons de la rue semblaient abandonnées. Un seul homme habitait encore au numéro 25. Il s'appelait M. Cabaud et il exerçait le métier de polisseur. C'est-à-dire qu'il frottait les bijoux avec des limes pour qu'ils soient

Zé du Pré-Saint-Gervais

bien lisses. Mais il ne travaillait plus. Il voulait prendre sa retraite non loin d'ici, à Aubervilliers, le village de sa naissance. Voilà ce qu'il a expliqué aux chiens qui étaient venus lui rendre visite.

« Mais alors, a demandé Guy des Lilas, il n'y aura plus personne dans cette rue... Que sont devenus les autres habitants ?

— Ils sont tous partis à la retraite, a dit M. Cabaud. Ils étaient vieux. »

Les chiens ont parlé entre eux à voix basse. Puis Max de Ménilmontant s'est adressé à M. Cabaud :

« Est-ce que nous pourrions, mes amis et moi, nous installer dans les maisons de la rue ? »

M. Cabaud a souri. Il a dit :

« Quelle bonne idée... Ça me rendait tellement triste que toutes les maisons restent vides... Et vous serez heureux ici... Plus personne ne sait qu'il fait toujours soleil dans la rue... Je suis vraiment content que vous en profitiez... »

Max de Ménilmontant

Et cet homme témoignait aux chiens une si grande gentillesse, que Ralph de Pantin n'a pu s'empêcher de lui demander :

« Dites-moi, monsieur... Vous vous appelez Cabaud... C'est bizarre... Quand les gens ne sont pas gentils avec nous, ils nous traitent, nous les chiens, de "sales cabots"...

— En effet, c'est bizarre, a dit M. Cabaud. Mais pour tout vous avouer, je crois qu'il y avait un chien parmi mes ancêtres. »

Les chiens ont remis à neuf les maisons de la rue du Soleil. Chacun a choisi d'habiter à un numéro différent. Et ils se sont tous fait installer chez eux le téléphone, de

Jean-Claude de Belleville

sorte que leurs noms figurent dans l'annuaire par rues avec le métier qu'ils exercent :

RUE DU SOLEIL, 20e ARRONDISSEMENT

Numéro 1 : Jean-Claude de Belleville,
GARAGISTE ;

Numéro 3 : Max de Ménilmontant,
CUISINIER ;

Numéro 4 : Paulo de Fontarabie,
HORLOGER ;

Numéro 5 : Ralph de Pantin,
PLOMBIER ;

Numéro 6 : Zé du Pré-Saint-Gervais,
DIAMANTAIRE ;

Numéro 11 : Jean-Pierre de Charonne,
LIBRAIRE ;

Numéro 15 : Douglas de Montreuil,
COMÉDIEN ;

Numéro 17 : Dino de la Villette,
CAFÉ-TABAC ;

Numéro 21 : Guy des Lilas,
MAÇON.

Guy des Lilas

Dino de la Villette.

Nos jours et nos soirées sont bien agréables avec les chiens de la rue du Soleil... Le soir, par exemple, je vais chercher ma fille dans son atelier de peintre entre Ménilmontant et Charonne et nous marchons bras dessus, bras dessous vers la rue où habitent nos amis. Et que nous importe qu'il pleuve ou qu'il vente, ou que nous soyons en hiver ou en automne, puisque nous savons que là-bas, rue du Soleil, c'est l'été... D'ailleurs, nous n'avons plus besoin de voyager dans des pays lointains : il fait si beau, rue du Soleil, que, certains soirs, on se croirait dans un petit port de pêcheurs d'Espagne ou d'Italie, ou même plus loin encore, dans les îles de l'océan Indien.

Douglas de Montreuil

C'est Max de Ménilmontant qui prépare le dîner. Nous dressons une table sur le trottoir ou même au milieu de la rue, car aucune voiture ne passe ici... Nous parlons de tout et de rien, des peintures de ma fille, des livres d'occasion que Jean-Pierre de Charonne rassemble dans sa petite librairie, des films que tourne Douglas de Montreuil : il joue le rôle du chien dans presque tous les films français, et son nom figure en gros caractères sur les affiches, mais cela ne l'empêche pas de rester un chien bon et simple. Vraiment, on ne peut pas dire que Douglas de Montreuil soit étourdi par son succès... Non, il garde la tête froide. Ralph de Pantin n'a pas encore fini tous les travaux de plomberie dans les maisons de la rue du Soleil et Guy des Lilas nous explique qu'il y a encore beaucoup à faire du point de vue de la maçonnerie. Elles n'étaient pas en bon état, ces vieilles maisons... Zé du Pré-Saint-Gervais a offert à ma fille un petit diamant rose du Brésil et Paulo de Fontarabie m'a donné une montre dont les

Jean-Pierre de Charonne

Ralph de Pantin

aiguilles marquent les secondes, les minutes, les heures, les jours et les semaines. Jean-Claude de Belleville, lui, m'a proposé de devenir mon chauffeur puisque je ne sais pas conduire. Ma fille et moi, nous sommes touchés par tant de gentillesse.

Et souvent la soirée se poursuit dans le café-tabac de Dino de la Villette où celui-ci nous sert des verveines et des tilleuls menthe après le dîner. Et là, il nous arrive d'avoir des crises de fou rire. Hier soir, par exemple, Jean-Pierre de Charonne nous avait apporté un livre qu'il voulait mettre en vitrine dans sa librairie et qui s'appelle : *Le Chien*. C'est écrit par un certain Buffon. Jean-Pierre a donné le livre à Douglas de Montreuil, le comédien de notre bande, pour que Douglas, de sa belle voix, nous en lise des passages. Douglas de Montreuil est monté sur une table et a commencé sa lecture :

« Les chiens sont naturellement voraces et gourmands. Ils boivent souvent et abondamment. »

« Lorsqu'on lui a confié pendant la nuit la garde de la maison, le chien devient plus fier et quelquefois féroce. »

« Le renard et le loup ne sont pas tout à fait de la même nature que le chien. »

« Plus docile que l'homme, plus souple qu'aucun des animaux, le chien s'instruit en peu de temps... »

Et ce qui nous faisait rire, c'était que Douglas de Montreuil, pour lire ces phrases, prenait un ton solennel, et gardait le regard très grave. Cela ressemblait à ce jeu où l'on se tient par le menton et où le premier qui rit reçoit une tape. Nous éclations de rire et Douglas de Montreuil, sur sa table, continuait à lire, de plus en plus sérieux et la voix de plus en plus grave :

Paulo de Fontarabie

« Le chien est un animal à quatre pattes, avec un museau et deux oreilles… »

À la fin, il éclatait de rire lui aussi et nous décidions qu'un soir, il faudrait inviter rue du Soleil ce M. Buffon qui connaissait si bien les chiens.

Et les soirées, rue du Soleil, se passent aussi à jouer aux cartes, aux échecs, aux dominos. Et les dimanches et les jours fériés, à prendre des bains de soleil. Nous avons fêté les fiançailles de Douglas de Montreuil et de Daisy, une chienne qu'il a connue en tournant un film au studio de Boulogne. Le libraire Jean-Pierre de Charonne va bientôt se marier. Et il y aura de plus en plus de chiens rue du Soleil. Chaque nouveau venu demande à ma fille de lui faire son portrait.

Guy des Lilas

C'est aujourd'hui l'anniversaire du chien Guy des Lilas. Ma fille a préparé pour lui un grand dessin qui représente un voilier dans un port des îles de l'océan Indien, car Guy des Lilas s'intéresse à tout ce qui concerne les océans, la marine et les marins.

Nous marchons bras dessus, bras dessous, ma fille avec son grand carton à dessins vert ; et moi, je garde dans ma poche une feuille de papier où j'ai écrit le poème que je dois lire devant les chiens réunis pour la cérémonie.

Ce soir, c'est le printemps dans tous les villages de Paris. À travers les rues de ce quartier que nous aimons, flottent des odeurs d'herbe, de troènes et de lilas. Nous entendons la musique qui vient d'un peu plus haut, du parc des Buttes-Chaumont. Les musiciens, dans le grand kiosque du parc, jouent des airs de valse. On tire un feu d'artifice au bord du lac Saint-Fargeau.

Les chiens nous attendent autour d'une table, dans le café-tabac de Dino de la Villette. Ma fille sort de son carton vert le dessin qu'elle offre à Guy des Lilas : « Bon anniversaire, Guy.» Et maintenant, c'est à moi de réciter le poème. Je prends la feuille de papier dans ma poche. Je suis un peu intimidé, je respire un grand coup et puis je récite :

C'est l'heure où le soir tombe,
Où les réverbères s'allument,
L'heure où tout est noyé dans l'ombre,
Où là-haut dans le ciel noir
La lumière d'un croissant de lune
Découpe sur les trottoirs
Des rais et des carrés blancs
Que traversent les chats noirs.

C'est à cette heure-là qu'on va
Retrouver tous les amis
Dans une rue pas loin d'ici.

On chante Les chevaliers de la lune,
Et quand la chanson est finie,
On est arrivés dans la rue
Et la lune a disparu.

C'est le matin.
Bonjour, les chiens,
Les chiens de la rue du Soleil.

LORD–TOUT–NU

ALEXANDRE JARDIN

Le 2 mars 1917, la rentrée scolaire n'eut pas lieu sur l'île française de Konétiwaka, de l'autre côté de la terre, au sud de la Nouvelle-Calédonie. Tous les Français en âge d'être soldats avaient quitté cette île du Pacifique huit jours plus tôt pour venir grossir, modestement, les rangs de l'armée de la République. Le père Gustave, missionnaire catholique, n'était plus là pour infliger ses cours aux garçons ; ce patriote

en soutane blanche s'était fait aumônier des troupes de Nouvelle-Calédonie.

À Konétiwaka, en cette fin d'été austral, ne restaient donc plus que les enfants, les femmes et les ouvriers non français qui travaillaient dur dans la mine de nickel. Rudes à la tâche, les épouses avaient remplacé leurs pionniers de maris afin de poursuivre l'exploitation du gisement ; mais il ne se trouvait personne à Konétiwaka qui pût continuer à instruire les garçons ni, surtout, leur inculquer suffisamment de latin pour assouplir et fertiliser leur esprit. Ce dernier point chagrinait fort les mères de Konétiwaka. Elles jugeaient que leurs filles pouvaient à la rigueur se passer de latin mais les garçons, eux, se devaient de rudoyer les textes antiques quelques heures par semaine. Là était le signe distinctif qui faisait de leurs fils des *civilisés*, notion qui fait sourire aujourd'hui mais qui, à l'époque, ne faisait rire personne, surtout en Nouvelle-Calédonie.

Naturellement, les garçons se félicitaient de ces vacances forcées et ne voyaient dans l'absence du père Gustave qu'une bénédiction, bien réelle celle-là. Le chef de la bande, Théophile, toujours prêt à coller un marron à ses contradicteurs, était ravi, tout comme Émile et son petit frère zozotant, Ernest. Même Marcel, l'*intello* de la classe, trouvait épatant que cette guerre inespérée les eût dispensés de version latine. La quinzaine de gamins de Konétiwaka ne rêvait que d'une chose : que la guerre dure le plus longtemps possible ! Ah, si un Allemand bien inspiré avait pu effacer le père Gustave !... Tous avaient entre sept et douze ans.

Leurs journées de liberté s'écoulaient au bord des bleus du lagon, à l'abri de la barrière de corail qui, au loin, brisait la véhémence de l'océan Pacifique. Ils pêchaient sans peine des poissons-perroquets multicolores qu'ils faisaient griller ensuite sur des bancs de sable corallien, blanc et poudreux comme de la farine, avant de gagner en pirogues *la cabane*.

Elle était construite dans les branches d'un arbre géant de quarante mètres de haut, un grand kaori qui occupait presque toute la surface d'un îlot minuscule. On ne savait plus si c'était l'île qui tenait l'arbre ou l'arbre qui tenait l'île. Le grand kaori trônait au milieu d'une baie où tous les bleus et tous les verts des fonds semblaient éclairés par un soleil sous-marin, tant la luminosité des eaux était forte, fascinante. Sur les rives s'élevaient des pins colonnaires, ces résineux élégants aux allures de colonnes basaltiques. Leur logis improvisé était fait de feuilles de cocotiers tressées et fixées sur un toit de branches de palétuviers (ces arbres tropicaux qui ont l'air de danser le tango sur leurs racines apparentes).

Dans le grand kaori se trouvait le repaire de la bande de Théophile. Là était rassemblé le trésor de coquillages, la photo d'une *gonzesse* de métropole presque dévêtue, un bloc de sucre candi, du tabac mélanésien, un sabre graissé et un roman de Jules Verne. Marcel faisait parfois la lecture du *Tour du monde en quatre-vingts jours* à la petite bande fainéante qui suçait des morceaux de sucre en l'écoutant rêveusement, étendue dans les branches du kaori. Tout était pour le mieux sur la plus charmeuse des îles du Pacifique,

dans le plus grand des arbres.

CHAPITRE 2

Mais la guerre s'étirait en France, s'inventait des prolongations dans les plaines de Champagne, sur les berges de la Marne, et les mères s'inquiétèrent. Leurs fils prenaient des airs de sauvageons au fil des mois ; ces jeunes diables semblaient toujours plus rebelles à ce qui fait, paraît-il, la civilisation : le respect des horaires, des usages, des grands livres, l'emploi du mot juste, l'art de gouverner ses instincts... Ces mères perdues dans le Pacifique se disaient qu'il fallait à leurs rejetons *un homme* et, surtout, un peu de ce latin civilisateur pour remettre de l'ordre dans leurs esprits embroussaillés. Aucune des femmes de Konétiwaka ne possédait assez de latin pour s'improviser professeur, aucun des travailleurs *exotiques* non plus, bien entendu. Alors l'une d'elles, téméraire, osa avancer ce que toutes craignaient de formuler depuis des semaines :

« Et si nous faisions appel à cet Anglais qui vit sur l'île des Pins ?

— Lord-Tout-Nu ?! » s'exclama la plus vertueuse, saisie d'effroi.

Lord-Tout-Nu avait été ainsi surnommé par les Kanaks des tribus de l'île des Pins, voisine de Konétiwaka. Cet Anglais singulier était, à ce qu'on disait, issu d'une famille respectable de professeurs de Cambridge. Son véritable nom était Waldo Pendleton. À quinze ans, le jeune Waldo en avait eu assez de porter les vêtements que Lady Pendleton, sa mère, lui imposait. Il prétendait que ces tenues de ville étaient certes élégantes mais qu'elles ne lui ressemblaient pas.

« Dans cet accoutrement de gentleman, j'ai l'air d'un autre ! s'était-il écrié, au bout de son irritation.

— Je ne t'en achèterai pas d'autres, avait répliqué sa mère.

— Soit ! » avait-il lâché en commençant à se déshabiller, pour toujours.

Ce jour-là, Waldo Pendleton avait décidé de vivre nu le restant de ses jours, oui, tout nu, vous avez bien lu. Il entendait se montrer désormais tel qu'il était, dans toute sa vérité. Son intention était de pratiquer un nudisme autant physique que moral. Waldo eut dès lors pour principe de ne plus jamais masquer sa pensée, ni ses sentiments, qu'il continua toutefois à exprimer avec une pudeur toute britannique. À force de dévoiler tout ce que son cœur lui suggérait, et d'exhiber son anatomie, il connut quelques complications, on l'imagine.

« Voyons, mon chéri, lui disait sa mère, tu ne vas pas passer ta vie tout nu. Ce n'est pas possible ! Comment pourras-tu travailler nu ?! Avec qui ? Et de quoi auras-tu l'air, nu, le jour de ton mariage ? Dans une église !

— Mère, répondait-il invariablement, je veux être vrai. Je ne souhaite plus cacher ce que je suis. »

Il fut renvoyé de son collège, banni des réunions de la famille Pendleton. La bonne société anglaise de 1900 s'indigna. On affirma que sa nudité était scandaleuse et subversive, qu'elle remettait en cause les fondements de l'Empire britannique. Waldo Pendleton était un enfant de l'élite de Cambridge ; n'aurait-il pas dû défendre les usages du monde dont il était issu ? L'opposition s'empara du *cas Pendleton*. L'affaire devint politique. Mais ce que l'on craignait surtout chez ce jeune homme dérangeant, c'était sa façon stupéfiante de ne jamais mentir, de dire sa vérité en toutes circonstances.

Waldo voulait être lui-même, paisiblement mais sans concessions.

Suscitant une réprobation croissante, et souvent de la haine, il dut quitter l'Europe et, nu, gagna l'Océanie où il finit par s'établir parmi les Kanaks, sur l'île des Pins, au sud de la Nouvelle-Calédonie. Les Mélanésiens, tolérants, l'acceptèrent tel qu'il était. Touché par ces gens étonnamment civilisés, il resta. On le baptisa Lord-Tout-Nu ; ce titre ironique l'amusa.

Tel était l'homme singulier et cultivé que les mères de Konétiwaka envisageaient de solliciter. Un débat divisa ces mamans affolées. Mais avaient-elles le choix, aux antipodes de la France ? Pouvaient-elles laisser leurs fils retourner à l'état de nature ? Un vote trancha : Waldo Pendleton fut invité à enseigner le latin.

Épris de lettres classiques et de pédagogie, Waldo accepta.

CHAPITRE 3

Lord-Tout-Nu débarqua à Konétiwaka un matin pluvieux d'hiver, le 2 août 1917, sur la jetée de bois du village européen de l'île. Waldo descendit de *L'Espérance*, le bateau de la Compagnie minière, nu comme un ver sous un parapluie noir. Son bagage était mince, naturellement ; il n'avait pas besoin de ce qui était nécessaire aux autres hommes, le superflu lui suffisait. Sa petite valise ne contenait qu'une eau de toilette, une paire de gants blancs, trois cigares, une boîte de thé, un drapeau britannique en lin plié soigneusement et quelques bons livres.

Gênées, les mères qui l'accueillirent n'osèrent le regarder franchement. Lord-Tout-Nu salua tout le monde avec une exquise politesse et distribua ses remerciements dans un français qui eût été parfait s'il s'était abstenu d'ajouter après chaque phrase un *n'est-ce pas ?* de trop.

Dans leur classe, les garçons l'attendaient de pied ferme. Aucune mère n'avait eu le courage de leur révéler la particularité de leur nouveau professeur. Les malheureuses s'étaient embourbées dans des explications maladroites.

Le matin même, Théophile avait lancé à sa bande :

« Les gars, l'instit, on va lui mener la vie dure ! D'ici huit jours, il sera reparti ! Et à nous la belle vie ! »

Marcel, Émile, son petit frère Ernest et les autres étaient prêts à désarçonner ce maître venu troubler leurs projets de très grandes vacances. Mais, quand la porte s'ouvrit, les enfants se regardèrent avec une stupéfaction qui anéantit leurs intentions.

Leur nouveau professeur était tout nu !

« Gentlemen, lança Waldo, j'ai une bonne nouvelle à vous annoncer : je m'engage à ce que vous réussissiez tous votre certificat d'études, oui, tous, sans exception ! Je m'y engage, répéta-t-il. Personne n'échouera, car vous êtes tous des individus étonnants, n'est-ce pas ? »

Au dernier rang, le lymphatique Émile souleva une paupière. Intrigué, il se mit à écouter ce zigoto tout nu qui prétendait faire de lui autre chose qu'un cancre. Toute la classe tendit l'oreille. Cet Anglais bizarre était si différent du père Gustave, toujours prompt à traiter d'imbéciles ses petits élèves.

Le cours de latin commença ; quand, soudain, Lord-Tout-Nu demanda :

« Qui a compris ce que je viens de dire ? »

Personne ne bougea.

« Personne n'a compris ? » reprit Waldo.

Quelques mains se levèrent. Le père Gustave, lui, posait toujours la question inverse : « Qui n'a pas compris ? », interrogation qui permettait de continuer à somnoler. Lord-Tout-Nu, lui, reprit ses explications avec patience, jusqu'à ce que tous les élèves aient saisi et levé la main ; pas un ne fut laissé pour compte.

Mais une question turlupinait les garçons. Ce fut le plus petit, Ernest, qui osa la poser, en zozotant :

« M'zieur ! Pourquoi vous z'êtes tout nu ? »

Le silence se fit.

Dignement, Lord-Tout-Nu cessa d'écrire au tableau noir et se tourna vers la classe.

« Parce que je me fais une certaine idée de moi, répondit-il avec un air de modestie.

— C'est quoi, une idée de soi ?

demanda Marcel, l'*intello* de la bande.

— C'est ce que j'entends cultiver chez vous, gentlemen ».

Posément, Lord-Tout-Nu leur exposa que *l'idée de soi* était la seule chose qui comptât dans la vie d'un homme, la seule chose qui nous distinguât vraiment du singe, notre aïeul. À l'entendre, notre passage sur terre n'avait un peu de sens que si l'on restait fidèle à cette fameuse *idée de soi*.

« À soi-même, conclut Marcel.

— Non, l'idée de soi, c'est quelque chose de mieux que soi, n'est-ce pas ? » rectifia Lord-Tout-Nu.

Perplexe, la bande de Théophile se demandait de quoi pouvait bien parler ce professeur sans vêtements qui rajoutait des *n'est-ce pas ?* inutiles

à la fin de ses phrases.

CHAPITRE 4

Le lendemain matin, Théophile, Marcel, Ernest et les autres se réveillèrent tôt pour aller espionner leur surprenant professeur. Cachés en haut d'une falaise de pierre rouge riche en nickel, ils le virent sortir de son bungalow niché dans une cocoteraie qui s'étirait le long du lagon.

Lord-Tout-Nu but tout d'abord une tasse de thé, avec un nuage de lait, puis il se mit à tondre soigneusement le gazon, devant la terrasse de son bungalow, avec une grande paire de ciseaux !

Déconcertés, les enfants se dévisagèrent. À quoi se livrait-il ? Que signifiait ce rite matinal ?

Lorsque Waldo eut achevé sa coupe méticuleuse, il hissa un drapeau britannique en haut d'un cocotier et, tout nu sur cette île française du Pacifique, se mit à chanter l'hymne des Anglais, le fameux *God save the Queen*. Sa voix trahissait une vive émotion qui toucha les garçons. L'Union Jack claquait, animé par les alizés qui régnaient sur cette côte exposée aux vents du grand large.

« Qu'est-ce qu'il fait ? murmura Ernest.

— Il fait l'Anglais, dit gravement Émile.

— Non, corrigea Marcel, il cultive son idée de soi. »

Silencieuse et intriguée, la petite troupe écouta le *God save the Queen* jusqu'à la dernière note. C'était la première fois qu'ils surprenaient quelqu'un en train de cultiver cette mystérieuse *idée de soi*. Cette occupation étrange ne figurait pas au catalogue de leurs activités. Était-ce un jeu réservé aux grandes personnes ?

« Ouais ! fit Théophile pas convaincu, tout ça, c'est des trucs d'Anglais. Ça sert à quoi de cultiver son machin de soi ? Hein, je vous le demande ? Alors tout à l'heure, on va lui faire sa fête au Rosbif. Dans huit jours il sera loin. Et à nous la belle vie ! »

Ragaillardis par les propos vigoureux de Théophile, les garçons se promirent de mener la vie dure à leur nouveau maître. Tout nu ou pas, il allait déguerpir, le Waldo Pendleton, lui et ses idées de soi à la gomme ! Pas question de le laisser gâcher ces longues vacances inespérées dans le grand kaori.

« Et à nous la belle vie !!! » clamèrent-ils sur le chemin de l'école.

Seul, Marcel ne partageait pas l'enthousiasme général. Sa famille venait de Bordeaux. De ses premières années bordelaises, il se souvenait d'injures qui avaient blessé ses parents : « Sale juif ! T'es un copain du juif Dreyfus ! T'es pas un vrai Français, t'es qu'un petit juif ! » Le père de Marcel avait jugé plus prudent de quitter la France de 1910, qu'il aimait, pour que lui et les siens puissent rester eux-mêmes. À la recherche d'un monde plus doux, il avait gagné l'Océanie après avoir vu des tableaux du grand peintre Paul Gauguin. L'*idée de soi*, il savait ce que c'était, le petit Marcel, même s'il n'avait jamais su que cela s'appelait comme ça.

Quand Lord-Tout-Nu entra dans la petite école en bois de cocotier, les élèves se mirent à chanter bouche fermée ; un bourdonnement assourdissant emplissait l'air de la classe.

« Excellent ! s'exclama Waldo avec une pointe d'accent anglais. Gentlemen, je salue chez vous un sens musical qui m'avait échappé. Et comme il ne saurait être question de laisser en friche l'un de vos talents, je vous prie de continuer ! Plus fort ! »

Waldo les accompagna en chantant un psaume en latin sur leur bourdonnement ! Puis, peu à peu, il en fit psalmodier certains sur cette *musique* improvisée. Théophile avait perdu ; la classe était conquise, sous le charme de cet Anglais qui savait apprivoiser les enfants.

L'après-midi, Lord-Tout-Nu eut l'idée de les emmener étudier la langue des Romains dans le monde latin par excellence : la nature, là où tout porte un nom latin. Waldo et sa classe quittèrent l'école pour s'engager dans la jungle de Konétiwaka, parmi les fougères arborescentes, les pandanus, les palétuviers dorés, les kaoris et les banians étrangleurs, ces arbres extraordinaires que soutiennent des dizaines de troncs. Tous contribuèrent à la réalisation d'un herbier géant. Tous apprirent les noms latins des plantes et, au bout de quelques heures, les garçons s'amusèrent à converser en employant les quelques mots latins qu'ils avaient puisés dans leurs manuels. Cette langue morte devint soudain une langue d'explorateurs, de navigateurs des mers du Sud.

« Mais, m'sieur, ça sert à quoi vot' latin ? demanda Théophile.

— Ça n'est pas utile, répondit Lord-Tout-Nu, c'est pour ça que c'est important. Pour cultiver l'idée que l'on se fait de soi, il faut parfois faire des choses inutiles. C'est ainsi que nous nous distinguons du singe...

— ... notre aïeul ! » entonnèrent gaiement tous les garçons, sur un air de cantique anglican.

Ce jour-là, on put apercevoir dans la forêt de Konétiwaka un professeur tout nu qui herborisait en compagnie d'une quinzaine d'élèves psalmodiant leurs déclinaisons latines avec allégresse. Dans l'enthousiasme, chacun s'était rebaptisé d'un nom d'aventurier : Émile était devenu Émilius, Marcel, Marcellus...

« ... et moi j'zuis Ernestus ! »

s'était écrié le plus petit qui ne voulait pas être en reste.

CHAPITRE 5

Le dimanche suivant, les mères de Konétiwaka furent estomaquées par ce qu'elles virent dans la rue centrale : quinze paires de petites fesses nacrées faisant une entrée solennelle dans le village colonial. Leurs fils avançaient fièrement, tout nus, en chantant une version latine de *God save the Queen* ! Marcellus s'était chargé d'établir une traduction acceptable.

Après des délibérations véhémentes dans les branches du grand kaori, les garçons avaient résolu, eux aussi, d'affirmer leur *idée de soi*. Théophilus et sa bande entendaient marcher sans délai sur les traces de leur nouveau maître.

Ernestus paradait en tête du cortège nudiste ; il s'égosillait en latin, écorchait les termes antiques avec ferveur. Au dernier mot, la petite troupe s'arrêta net, comme un seul homme, face à l'élégant bâtiment de la Compagnie minière. Stupéfaites, quelques mères sortirent dans la rue.

« Qu'est-ce que vous faites là, nus comme des vers ?

— Qu'avez-vous fait de vos vêtements ?

— On les a brûlés, lâcha dignement Émilius, du haut de ses douze ans.

— Jusqu'à la dernière chaussette ! » précisa Ernestus avec le plus grand sérieux.

Interloquées, les mères se consultèrent du regard.

« C'est une plaisanterie ?

— Non, répliqua Marcellus, désormais on se fait une certaine idée de soi !

— Qu'est-ce que c'est que ce charabia ?! »

Et vlan ! Clac ! La première paire de claques partit. Les raclées suivirent, exemplaires. La soirée fut cuisante pour les trente petites fesses mises à nu. Ils avaient tout brûlé, même leurs chaussures ! Seules les lunettes de Marcel avaient été épargnées.

La mère d'Ernest et Émile fut envoyée en délégation auprès de Lord-Tout-Nu qui, comme tous les dimanches soir, enfilait ses gants blancs pour fumer un cigare sous une moustiquaire, face à son gazon impeccable.

« Monsieur Pendleton, tout ceci est intolérable ! Nos enfants ont certes fait des progrès en latin avec vous, mais ça, c'est inacceptable !

— Je dirais même plus, madame, c'est *shocking* ! » répondit-il au grand étonnement de la mère qui pensait que Lord-Tout-Nu était l'instigateur de cette révolte.

Puis il ajouta :

« Croyez-le bien, je déplore que vos enfants aient cru bon de se mettre tout nus. Cela me peine, et je m'engage à ce que cela ne se reproduise plus, n'est-ce pas ? » Sa réponse était sincère ; Waldo n'avait jamais su mentir.

CHAPITRE 6

Le lundi matin, Lord-Tout-Nu accueillit ses élèves fraîchement, par ces mots :

« Gentlemen, vous m'avez déçu. »

Un silence moite, immobile, régna soudain dans la classe. Les alizés semblaient s'être arrêtés pour la circonstance. Marcel, Ernest et les autres ne comprenaient pas son attitude. Lord-Tout-Nu aurait dû les défendre, leur prêter son éloquence. Leur cause n'était-elle pas la sienne ? Au lieu de cela, il les accablait et poursuivit sèchement :

« Ce chemin est le mien, pas le vôtre. Soyez fidèles à vous-mêmes, pas à moi. »

Lord-Tout-Nu les contempla un instant et ajouta :

« Sortez vos cahiers, rédaction ! »

Il se retourna et écrivit le sujet sur le tableau noir :

Que puis-je faire pour aller au bout de mes désirs ? Et il souligna deux fois **mes désirs.**

Trois heures durant, les enfants cherchèrent à élucider les désirs qui leur étaient propres, à mettre à nu ce qu'il y avait de singulier en eux. Ils peinaient, tiraient la langue, remaniaient leur brouillon. À midi, Lord-Tout-Nu ramassa les cahiers, sans un mot. Tous avaient dévoilé ce qu'ils possédaient de plus précieux, de plus secret : **leurs désirs.**

La classe reprit à deux heures. Lord-Tout-Nu commença ainsi :

« J'ai lu vos rédactions... »

Un frisson parcourut les rangs.

« ... et je les ai notées. »

Chacun retint son souffle.

« Marcel, dix sur dix. »

Marcel avait toujours dix sur dix ; mais ce qui suivit était plus surprenant :

« Ernest, dix sur dix, Anatole, dix sur dix, Jean, dix sur dix, Théophile, dix sur dix... »

Toute la classe avait obtenu la note maximale ; même Émile !

Le dernier cahier rendu, Lord-Tout-Nu leur tint à peu près ce discours :

« Gentlemen, vous ne m'avez pas déçu. Vos désirs sont dits avec une vérité qui vous fait honneur, n'est-ce pas ? Ce sont les vôtres, ne les trahissez jamais ; sauf si de plus beaux ou de plus vigoureux naissent en vous. »

Dans l'émotion, Ernest, Théophile, Émile, Marcel et les autres se levèrent d'un bond pour entonner un *God save the Queen* en latin qu'ils chantèrent jusqu'à la dernière larme.

À compter de ce jour, rien ne fut plus jamais pareil pour les garçons de Konétiwaka. Marcel, qui voulait être poète, ne parla plus qu'en faisant des rimes. Théophile le costaud déclara qu'il serait boxeur, plus tard ; il s'endormit désormais chaque soir avec ses gants de boxe posés sur sa table de nuit. Émile avait pour projet de devenir américain ; il porta tous les jours un chapeau de cow-boy et lut tous les romans de Fenimore Cooper. Quant à Ernest, il se mit à circuler dans l'île en faisant des blagues à tout le monde : « Quand je serai grand, répétait-il, je serai farceur ! » Anatole, lui, se mit à mentir quotidiennement sous le prétexte qu'il serait un jour ministre français. « Je m'entraîne », disait-il. Chacun avait sa passion, son territoire. Chacun menait sa petite vie à Konétiwaka en cultivant son idée de soi, au milieu du Pacifique.

CHAPITRE 7

Quelques mois plus tard, Lord-Tout-Nu commença la classe en posant un gros livre sur son bureau.

« **Voici le Code de l'indigénat,** dit-il, qu'est-ce que c'est ?

— Ce code, répondit Marcel, **règle les rapports des Français avec ceux qui vivent dans nos colonies, où tout n'est pas parfait. Mais s'il prive de tous droits nos indigènes, nous leur apportons une civilisation très humaine.**

— Marcel, reprit Lord-Tout-Nu, ce code empêche-t-il les non-Français d'être eux-mêmes ? Je pose la question. »

Waldo les entraîna à l'autre bout de l'île, là où les plages coralliennes dévorées par la mine n'étaient plus qu'un souvenir, là où trimardaient les *exotiques*, ces ouvriers javanais, annamites et néo-hébridais qui écumaient dans une sueur rouge, chargée de nickel, au fond du gisement, ce grand avaleur d'hommes. Du haut d'une falaise de roche rouge, le maître nu et ses élèves contemplaient les baraquements vétustes, insalubres, où vivaient les *exotiques*, toute cette souffrance hideuse, en marge de l'humanité.

« Peuvent-ils cultiver l'idée qu'ils se font d'eux-mêmes là où ils sont, chargés des chaînes du Code de l'indigénat ? » Lord-Tout-Nu posa la question, et ne répondit pas. Les enfants s'en retournèrent en silence, pleins de doutes sur leurs certitudes héritées.

CHAPITRE 8

Hélas ! la guerre eut une fin en 1918. Les hommes rentrèrent à Konétiwaka ; pas tous mais, par malheur, le coriace père Gustave était du nombre des survivants. Les prières des enfants n'avaient pas été exaucées. Lord-Tout-Nu dut céder la place, sans ménagements.

Son départ fut hâté par l'indignation des pères. Comment les mères avaient-elles pu confier leurs fils à un professeur nu ?! Fidèle à l'idée pacifique qu'il se faisait de lui-même, Waldo Pendleton évita un conflit inutile. Il boucla sa valise, toujours aussi légère.

Il repartit comme il était venu, nu sous un parapluie noir qui le protégeait d'une pluie tropicale, dans la lumière de l'aube. Sur la jetée de bois, les garçons l'attendaient. Quand il passa devant eux, ils entonnèrent l'hymne britannique en latin. Leurs larmes se mêlaient sur leurs joues à la pluie chaude.

Étranglé par l'émotion, Lord-Tout-Nu leur lança un dernier mot : « Gentlemen, l'idée de soi, n'oubliez pas ! »

Il s'efforça de leur sourire et monta à bord de *L'Espérance*, le bateau de la Compagnie minière. Tandis que le navire appareillait, Ernest, Théophile et les autres restèrent immobiles, sous la pluie battante. *L'Espérance* ne fut bientôt plus qu'un point sur la ligne de l'horizon mouillé ; mais les enfants savaient que Lord-Tout-Nu resterait dans leur cœur pour toujours.

Cet homme nu avait trempé leur caractère.

FIN

Nota : ne cherchez pas l'île de Konétiwaka sur une carte ; elle n'existe plus depuis 1932. La Compagnie minière l'a entièrement dévorée. Konétiwaka était un énorme morceau de roche rouge contenant du nickel, posé sur l'océan Pacifique.

ILLUSTRATIONS DE MÉRIÈME BEN JELLOUN

Le désert est grand. C'est un espace où il n'y a ni barrière ni clôture. On n'y construit pas de maison non plus. Les maisons sont des tentes en toile. C'est un pays où personne n'habite en permanence. Seul le soleil en fait sa demeure éternelle, son palais de sable et de cristaux. Rien n'arrête la vue. Le désert est loin, toujours plus loin. C'est l'arrière-pays des pays. C'est le Sud des villes. C'est comme un rêve qui s'étire à l'infini, qui va jusqu'au bout du monde, quand le monde est une image qui habite notre tête.

Si les hommes ne peuvent pas y vivre tout le temps, c'est à cause du soleil. Il s'y installe pour faire briller les roches et protéger les animaux qui y vivent grâce à la chaleur et à la lumière.

Le vent est ami du soleil. Il est son complice et son confident. Souvent le vent raconte des histoires au soleil ; il lui dit ses voyages ; il lui raconte le monde et les hommes, les tempêtes et les ouragans. Le vent est moqueur. Il est libre et insaisissable. C'est lui qui lave le désert et refait les dunes. Il les sculpte en les caressant jusqu'à en faire des collines de plusieurs tailles et formes pour que le sable ne s'ennuie pas. Le vent efface les traces des pas des dromadaires et des hommes. Quand il est en colère, il soulève le sable, fait reculer les voyageurs et fait plier les chameaux. Il se déchaîne pour isoler le désert et rendre sa traversée impossible.

Les dunes voyagent aussi. Elles sont là pour donner de l'ombre aux hommes. Elles suivent le soleil et dessinent des figures où on peut reconnaître des corps dormants.

La nuit, c'est le règne de la lune. Elle se venge du soleil. Elle a peu de temps pour manifester sa présence. Le soleil lui fait une concurrence déloyale. Elle dispose de quelques heures pour faire briller toutes les étoiles. Elle distribue une lumière douce et tendre, mêlée au froid. Les étoiles ont besoin de cette douceur des sables pour danser. Certaines, plus pressées, filent à toute vitesse vers le fond du ciel. Elles voudraient bien frôler le sable, ou même rouler dans sa chaleur. Mais le soleil ne leur laisse pas le temps d'arriver. Il se lève tôt et les arrête dans leur fuite. Celles qui dansent deviennent pâles, transparentes, puis s'évanouissent au contact des lueurs du petit matin.

Si le désert est vide, c'est parce que l'œil ne voit pas tout. Il abrite un monde magique. Des milliers d'insectes, de reptiles, et d'animaux de toutes sortes, y vivent depuis la nuit des temps. L'homme est un étranger. Il les dérange et parfois leur fait mal.

Les étoiles ont besoin de cette douceur des sables pour danser.

L'homme des villes ne comprend rien au désert. Il est souvent déçu. Il ne voit rien, rien que des étendues infinies de sable avec, à l'horizon, une lumière qui vibre comme un miroir reflétant une source d'eau pure. Une source d'eau pure. Une source d'eau imaginaire, car les sables lui mentent ; ils l'attirent par ces images qu'on appelle « mirages », et qui ne cessent de s'éloigner lorsque lui avance. Le désert peut rendre fou, surtout quand on a soif et qu'on marche vers ces sources d'eau imaginaires. Il ne faut pas lancer des défis au désert. Il est plus fort et plus violent que n'importe quelle volonté humaine. C'est comme les étendues infinies du pôle Nord où la glace ne fond jamais.

Si le désert est magique, c'est parce qu'il produit des miroirs et des images transparentes. C'est une fabrique de rêves de toutes les tailles, de toutes les couleurs, pour les petits et les grands, pour tous ceux qui ont besoin du rêve pour vivre et oublier la misère.

Ali est de ceux-là.

Il vivait avec sa famille à la porte du Sahara, dans une petite oasis qui a été petit à petit mangée par les sables des tempêtes fréquentes. Les palmiers ont été brisés par le vent violent. Les touristes venaient planter leur tente là, prenaient des photos puis partaient sans dire au revoir ni merci. Ils laissaient des boîtes de conserve à moitié entamées, des sacs en plastique et un feu mal éteint.

La source ne donnait plus d'eau, le puits ayant été ensablé. Ce fut un malheur pour cette famille qui ne pouvait plus rester dans cet endroit et qui n'avait pas où aller. Aller en ville pour être porteur, cireur ou mendiant comme tant d'autres enfants des montagnes et des plaines ? Depuis que la famille d'Ali avait été chassée

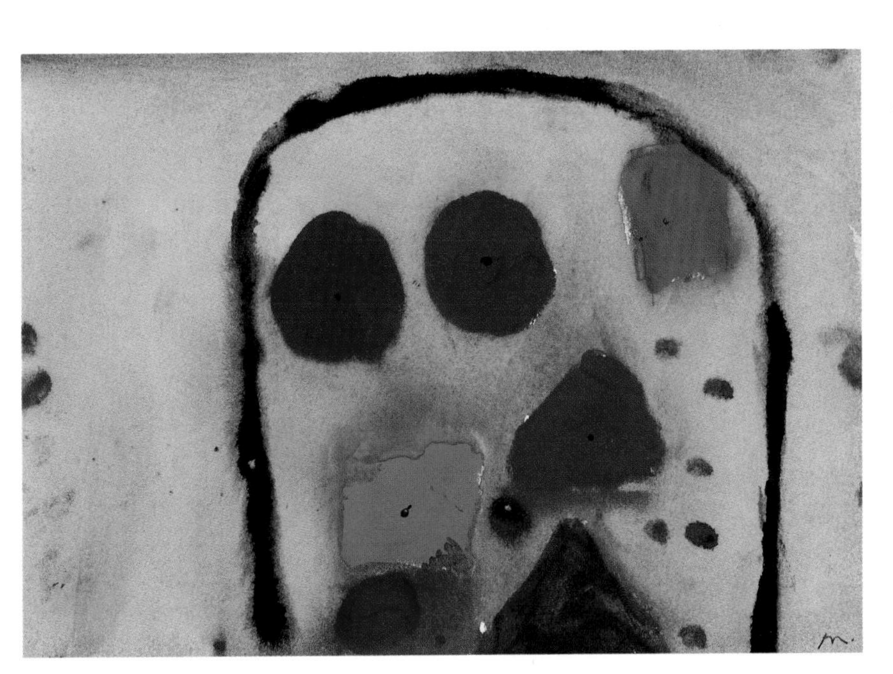

Le désert est une fabrique de rêves de toutes les tailles, de toutes les couleurs, pour les petits et les grands.

de son village par la sécheresse du ciel et des hommes, elle avait trouvé refuge dans cette oasis, à la porte du désert.
Le grand-père dit :

« À cause du mal que font les hommes aux hommes, le désert avance plus vite ; il mange l'herbe ; il avale la nature ; il prend la place de la vie ; la nature, n'aimant pas la méchanceté des humains, se venge en les privant d'eau et d'espoir. »

Ali ne comprenait pas pourquoi la nature, après les hommes, s'acharnait contre lui et sa famille. Pourquoi les privait-elle d'eau ? Il n'avait rien fait de mal : pas volé, pas menti, pas craché sur un lézard, pas tué un scorpion... Il se dit : « La nature est injuste et cruelle.» Il se souvint de ce que son grand-père lui disait à propos de la ville d'Agadir, qui fut entièrement détruite par un tremblement de terre en 1961.
Le vieil homme disait :

« Une ville qui disparaît, c'est un avertissement du Ciel. C'est une punition ; c'est la vengeance aveugle de la nature sur des hommes indignes de sa bonté et de sa générosité ! »

Ali récitait les premiers versets du Coran appris récemment. Il les disait pour faire partir la tristesse du visage de son père. La mère se lamentait :

« Où trouver de l'eau ? Où chercher de l'eau ? Comment la garder ? Partir de nouveau, nos bagages sur le dos, errer de dune en dune, être livrés au vent de sable, aux animaux affamés... La vie est dure. Ah ! mon dieu, pourquoi sommes-nous sans terre, sans maison, sans jardin, sans source d'eau ? Qu'avons-nous fait pour mériter de n'être que des nomades pauvres ? »

Ali avait les yeux fixés sur une rose des sables tandis qu'il pensait à l'eau. Le soleil descendait lentement vers l'horizon. Ses derniers rayons butaient contre les cristaux de la rose. Ce n'était pas une rose des vents avec ses trente-deux divisions indiquant les quatre points cardinaux. Ce n'était qu'une rose de gypse capable de faire des miracles. Elle était douée de bonté. C'était une rose vivante qui roulait sur le sable avec élégance et tournait autour d'Ali. Ce n'était pas le vent qui la poussait mais les yeux d'Ali qui la faisaient bouger. Ali riait et trouvait ce petit manège amusant. Il oubliait les moments difficiles, ne pensait plus à l'absence de l'eau. Il se mettait à genoux et faisait danser la rose. Il joua avec elle tout l'après-midi. Il s'endormit, serrant dans sa main la rose. Celle-ci se dégagea et roula loin du campement. Elle partait à la recherche d'un puits. Elle avait toute la nuit pour interroger les étoiles qu'elle considérait comme des cousines lointaines n'ayant pas encore touché terre. Elle les suppliait :

« Faites quelque chose pour que mon ami Ali et sa famille retrouvent l'eau, une maison et un jardin. Ils sont victimes d'une injustice. Ils n'ont rien fait de mal… S'ils s'enfoncent dans le désert, ils mourront de soif et de fatigue… »

Devant le silence des étoiles, elle ne se découragea pas :

« Je sais, je sais, je demande beaucoup ;

mais si vous remettez l'eau dans le puits, Ali fera le reste. »

Une chamelle, qui ne dormait que d'un œil s'approcha de la rose qui se dandinait. Après l'avoir léchée, elle la roula dans le sable jusqu'à en faire une boulette et l'avala. Une étoile fila vers l'horizon et la nuit devint toute noire.

En fait, il faisait nuit dans le ventre de la chamelle. La rose était emportée par des flots de liquide chaud. Elle circulait dans ce labyrinthe en buvant tantôt de l'eau, tantôt du lait. Elle entendait les rumeurs du vent qui soufflait dehors et se sentait au chaud. Elle grossissait. Elle absorbait tout et devenait lourde. Au petit matin, lorsque disparut la dernière étoile, la chamelle cracha la rose dans le puits sec. La chamelle était soulagée et la rose, devenue énorme, roulait difficilement au fond du puits. Elle ne savait plus où elle se trouvait. Elle perdait tout le lait qui se transformait en eau. Il y en avait tellement qu'elle surnageait. La rose avait retrouvé ses dimensions et le puits était rempli d'eau.

Lorsque Ali se réveilla, l'eau coulait entre ses mains. La rose des sables n'était plus là. Elle était devenue la rose des eaux.

Il ne saura jamais comment cet objet qu'on dit inutile s'était transformé en source d'eau au fond d'un puits sec.

La chamelle veillait. Elle était épuisée et amaigrie. Ses mamelles étaient vides. Elle n'avait plus la force de se lever. À présent la famille d'Ali n'avait plus besoin de quitter ce lieu. Alors la chamelle se recroquevilla sur elle-même et dormit sous le palmier. Ses yeux n'étaient pas tout à fait fermés. Un sourire d'apaisement se lisait dans son demi-regard. La famille était sauvée. Ali n'était plus triste, même si son amie la rose des sables s'était fondue dans l'eau.

Si les lois du désert sont dures, ses miracles sont fréquents.

SI LES LOIS DU DÉSERT SONT DURES, SES MIRACLES SONT FRÉQUENTS

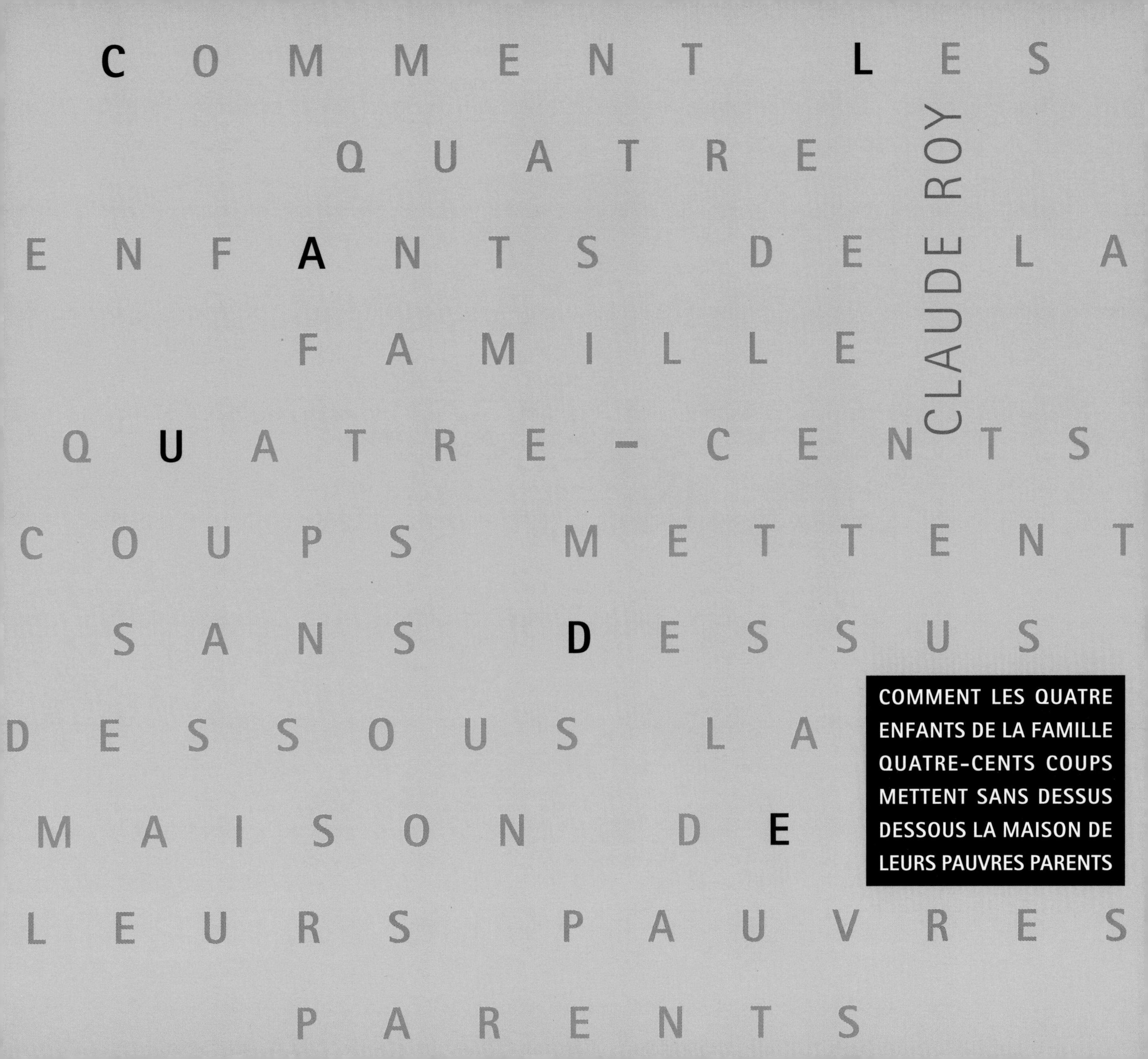
COMMENT LES
QUATRE
ENFANTS DE LA
FAMILLE
QUATRE-CENTS
COUPS METTENT
SANS DESSUS
DESSOUS LA
MAISON DE
LEURS PAUVRES
PARENTS
CLAUDE ROY
COMMENT LES QUATRE
ENFANTS DE LA FAMILLE
QUATRE-CENTS COUPS
METTENT SANS DESSUS
DESSOUS LA MAISON DE
LEURS PAUVRES PARENTS

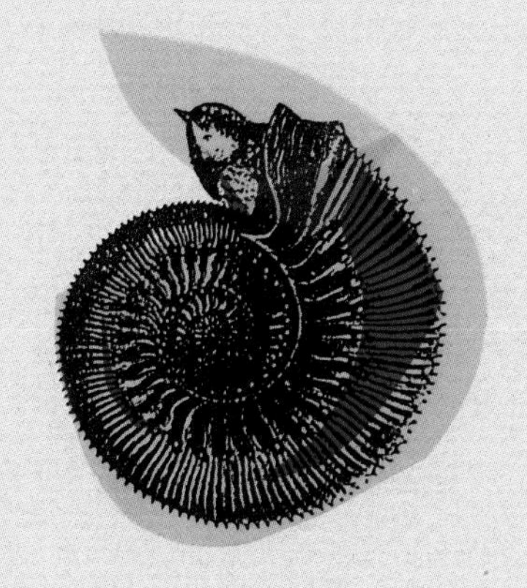

Comment les
quatre enfants de
la famille Quatre-Cents Coups
mettent sens dessus dessous
la maison de leurs pauvres parents

★

une histoire vraie
écrite
et illustrée de collages
par
Claude Roy

Je veux bien te raconter, Très-Mimi, pour ton anniversaire, quelques histoires des enfants de la famille Quatre-cents coups. Mais il faut que tu me promettes de ne pas trop les imiter.

Le plus grand plaisir des enfants Quatre-cents coups, c'est de tout mettre partout sens dessus dessous. Les pauvres parents de ces terribles enfants, Monsieur et Madame de Quatre-Cents Coups, se font beaucoup de souci en découvrant constamment les inventions à tourner les sangs de ces enfants qui n'ont pas le sens commun.

Je sais bien, Très-Mimi, que tu penses qu'il est bien amusant quelquefois de mettre tout sens dessus dessous pour voir ce qui va arriver, et que faire des bêtises, c'est quelquefois bien reposant. C'est vrai. Mais essaie tout de même d'être sage — ou de faire semblant...

Celle-là, c'est Charlotte, elle est mignonne mais elle écoute trop Caroline et ça lui joue des tours !
Je te présente, Très-Mimi, la famille Quatre-cents coups. Ils ont l'air sur ces images d'être sages comme des images. Mais il ne faut pas s'y fier. Dès qu'on a le dos tourné ils ont beau être en trois couleurs, ils en font voir de toutes les couleurs à Monsieur et Madame de Quatre-Cents Coups, leurs papa et maman, à leur grande sœur, aux animaux, à moi leur auteur !
Celle-là, c'est Caroline, une vraie Sainte Nitouche Elle fait faire des bêtises aux autres en ayant l'air de ne pas y toucher
Celle-là, c'est Adelaïde la grande sœur et le petit Louis
Celui-là, c'est Ludovi

La maison des petits Quatre-cents coups va être sans dessus dessous. Les parents des petits Quatre-cents coups auront les sangs tournés quand ils reviendront. Oui, Très-Mimi, les vaches n'ont pas de lits comme les personnes, elles couchent dans la paille – et les petits enfants-ours n'ont pas de jouets pour s'amuser. Mais si Caroline voulait donner un lit à la vache, elle aurait pu lui donner son lit à elle, au lieu de lui donner celui de ses parents. Et si elle voulait amuser les bébés-ours, elle n'avait qu'à leur prêter ses jouets, au lieu de leur donner la coiffeuse de sa maman, dont ils ont cassé la glace et déchiré la dentelle. Mais, au contraire, Caroline a emporté son ballon et ses jouets pour les mettre à l'abri.

Caroline
est une petite égoïste.

Leur bon grand-père, le général-baron de Krach, a emmené les petits Quatre-cents coups au cirque, et il a invité aussi leur cousin Casimir.

Le dimanche suivant, comme leurs parents étaient en visite chez les Sapajoin de Garenne, les châtelains voisins, Caroline a dit :

— Si on jouait au cirque ?

— C'est une bonne idée, a dit Casimir. Mais qu'est-ce qu'on fera ?

— Moi je ferai le dompteur avec Lapin, a dit Caroline.

— Et nous ? a demandé Casimir.

— Toi, Ludovic et Charlotte, a répondu la sournoise petite Caroline, vous ferez la PYRAMIDE HUMAINE.

La cigogne Elsa était bien ennuyée. Elle volait autour d'eux pour rattraper les enfants s'ils étaient tombés.

Si tu avais été là, Très-Mimi, tu les aurais empêchés de faire ça, n'est-ce pas ?

Les petits Quatre-cents coups (qu'est-ce que ces enfants ont encore été inventer ?) sont en vacances, au bord de la mer.

Il y a une tempête si forte, si forte que le train de Pékin à Paris déraille et traverse, par babord, le paquebot des Indes qui passait par là, en ressortant par tribord. Un terrible accident !

Caroline dit à sa grande sœur Adélaïde :

– Tu devrais emmener Charlotte se baigner. Ça lui ferait du bien, elle est tellement pâlotte, Charlotte !

Et Adélaïde, qui ne réfléchit jamais – ce n'est pas comme toi, Très-Mimi – emmène Charlotte se baigner sur la plage.

Alors elles rencontrent un Bernard-l'Ermite qui a un très gentil ami, son petit camarade Chaton. Le petit chat et le Bernard-l'Ermite se retrouvent tous les jours pour jouer ensemble.

Adélaïde et Charlotte les félicitent :

– C'est très bien, de donner le bon exemple en étant de bons amis.

La sournoise petite Caroline est déçue, parce qu'il n'est rien arrivé d'extraordinaire à ses sœurs Adélaïde et Charlotte – (ni à toi, Très-Mimi)

Les petits Quatre-cents coups ont dessiné des ballons qui volent, sur leurs cahiers de devoirs de vacances.

Et puis ils sont montés dans les ballons qui volent, et ils ont été faire des promenades dans le ciel.

On se demande où ces enfants vont chercher les idées qui leur passent par la tête.

Caroline, la sournoise rusée petite Caroline, a dit au petit Ludovic, qui pleurait, parce que les autres étaient partis en l'oubliant :

— Tu n'as qu'à monter sur le clocher de l'église et les appeler.

Le petit Ludovic est monté sur le clocher de l'église. Il appelle Charlotte, Béatrice et les autres. Mais personne ne s'occupe de lui.

Caroline est contente.

On m'a dit, Très-Mimi, que toi aussi tu fais des dessins sur tes cahiers.

Je ne suis pas contre.

Mais fais bien attention à ne pas t'envoler. Ou bien, si tu t'envoles, couvre-toi bien, pour ne pas prendre un rhume.

Les petits Quatre-cents coups
aiment si fort la musique
qu'ils y plongent jusqu'au cou
qu'ils y font leur gymnastique.

Quand leur sœur Adélaïde
leur joue une mélodie
ils y font la pyramide,
vrais petits chiens étourdis.

Ils marchent sur les bémols
piétinent les doubles croches
et la pauvre Clef de Sol
est un clou, ils s'y accrochent !

Les petits Quatre-cents coups
entre do ré mi fa sol
à cache-cache à coucou
jouent au jeu de piano volé.

SLEEVE
BREAST
FULL
WAIST
LENGTH
HOVERLL OYD
UNBREAKABLE

— Comment finit l'histoire des petits Quatre-cents coups ?

Elle finit bien, Très-Mimi.

La sournoise petite Caroline devient une grande belle jeune fille. Elle s'est corrigée de sa malice et de sa sournoiseté.

Elle épouse un bel officier qui est un peu bête, mais très gentil. Il est capitaine dans les hussards. Il lui marche sur le bord de ses robes, mais ce n'est pas méchamment. Ils sont heureux et ils ont beaucoup d'enfants.

— Comment ils sont, leurs enfants ?

— Ce sont de vrais petits quatre-cents coups. Ils ont le diable au corps. On ne sait pas où ils vont chercher ce qui leur passe par la tête. Ils me feront mourir !

Si tu ne fais pas les Quatre-cents coups, Très-Mimi, je te raconterai un autre jour l'histoire des petits enfants des quatre-cents coups, et les aventures des petits garçons et des petites filles de Caroline, l'ancienne petite Quatre cents coups. Mais il faut que tu sois très sage, Très-Mimi, pour que je te raconte toutes les bêtises qu'ils font, sage comme une image, pas sage comme ces images-ci !

CORTICELLI

Fin
de l'histoire
à dormir debout
et sens dessus dessous
des enfants
quatre-cents
coups.

L'ENFANT DE SOUS LE PONT

J.-M.G. LE CLÉZIO

ILLUSTRATIONS DE TAMIYO KEMBÉ

L'ENFANT DE SOUS LE PONT

Ceci est une histoire vraie. Peut-être qu'elle n'a pas de fin, comme toutes les vraies histoires, ou bien peut-être que tu veux toi-même lui donner une fin, dans le genre des rêves qui s'achèvent. Comme toutes les histoires vraies, elle s'est passée il n'y a pas très longtemps dans une ville où il n'y avait pas de château ni de forêt merveilleuse, ni aucune princesse, et pas la moindre fée — encore que...

Le nom de cette ville n'a pas d'importance. Sache seulement que c'était une très grande ville, avec des milliers et des milliers de gens, des milliers d'autos, des avenues si longues que leurs extrémités se perdent dans la brume, des tunnels, des gares souterraines pour les wagons de métro — et un pont.

Un beau matin d'hiver — une matinée de brume, quand la lumière du jour naissant se confond encore avec les halos des réverbères, un homme marchait le long d'un canal. C'était un homme non pas très âgé, mais usé par la vie, pour avoir dormi dehors et avoir bu trop de vin. Cet homme-là (mettons qu'il s'appelait Ali) n'avait pas de domicile, et pas vraiment de métier. Quand les gens le voyaient, ils disaient : « Tiens ! L'estrassier. » C'est comme cela que les gens du Sud appellent les chiffonniers qui vont de poubelle en poubelle et ramassent tout ce qui peut se revendre, les cartons, les vieux habits, les pots de verre, même les piles de radio qu'on recharge très bien en les laissant au soleil.

Pour ramasser tout cela, il avait une poussette-landau du temps jadis, avec une belle capote noire et des roues à rayons, dont une était légèrement voilée. Pour les objets volumineux, il avait une charrette à bras.

Ali se dirigeait vers le pont. C'est là qu'il habitait, et qu'il gardait tous les trésors qu'il avait ramassés durant la nuit.

Ce matin-là, Ali était fatigué. Il pensait à la bonne lampée de vin qu'il allait boire avant de se coucher sur son lit de cartons, sous sa couverture militaire qui l'abritait du froid comme une tente. Il pensait aussi au chat gris qui devait être endormi sous la couverture, en rond et ronronnant. Ali aimait bien son chat. Il l'avait appelé Cendrillon, à cause de sa couleur.

Quand Ali s'est approché de la tente, il a vu quelque chose d'inattendu : à la place du chat, il y avait un carton entrouvert, que quelqu'un avait déposé là. Tout de suite Ali a compris que ce carton n'était pas à lui. L'estrassier resta un moment à regarder, plein de méfiance. Qui avait mis ce carton là, sur son lit ? Peut-être qu'un autre gars de la chiffe avait décidé de s'installer ici, sous le pont ? Il avait laissé ce carton pour dire : « maintenant sous le pont, c'est chez moi ».

Ali sentit la colère le prendre. Tout à coup il se souvint qu'il avait été soldat, autrefois, dans sa jeunesse, et qu'il était monté à l'assaut au milieu du bruit des balles. C'était il y avait bien longtemps, mais il se souvenait des battements de son cœur de ce temps-là, de la chaleur du sang dans ses joues.

Il s'approcha du carton, résolu à le jeter loin sur les quais, quand il entendit quelque chose. Quelque chose d'incroyable, d'impossible. Une voix qui appelait, dans le carton, une voix d'enfant, une voix de bébé nouveau-né. C'était tellement inattendu qu'Ali s'arrêta, et regarda autour de lui, pour voir d'où venait cette voix. Mais sous le pont tout était désert, il n'y avait que l'eau froide du canal, et la route qui passait au-dessus, où les autos avaient commencé à rouler.

Alors du carton sortit à nouveau la voix, claire, avec comme une note d'impatience. Elle appelait à petits cris répétés, et comme Ali tardait encore, les bras ballants, la voix se mit à pleurer. En même temps, Ali vit que le carton remuait, s'agitait sous les coups donnés à l'intérieur.

« Des chats ! » dit Ali à haute voix. Mais en même temps il savait bien que les petits chats qu'on a oubliés au bord d'un canal n'ont pas cette voix-là.

Il s'approcha encore, écarta les bords du carton avec ses mains noircies et gercées, et avec d'infinies précautions il en sortit un bébé, une petite fille pas plus grande qu'une poupée, si petite qu'Ali devait serrer ses mains pour qu'elle ne glisse pas, si légère qu'il avait l'impression de ne tenir qu'une poignée de feuilles.

« C'est elle, c'est l'enfant de sous le pont », pensa-t-il. Rien d'autre ne lui venait à l'esprit que cette phrase, un proverbe de son village. « L'enfant de sous le pont ».

De sa vie, Ali n'avait jamais rien vu de plus joli, ni rien de plus délicat et léger que cette petite fille, cette poupée vivante. Il la tenait dans ses bras, sans oser approcher d'elle son visage à la barbe hirsute. L'air froid qui s'engouffrait sous le pont envoya voltiger des papiers et bouscula le carton vide, et Ali tout à coup s'aperçut que le bébé était tout nu, et que sa peau était rougie par le froid, hérissée de milliers de petites boules à cause de la chair de poule.

« Attends, tu vas voir ! » Ali, ne sachant où mettre l'enfant, le redéposa dans le carton, ce qui eut pour effet de lui faire pousser aussitôt des cris de désespoir.

« Non, non, attends-moi, je reviens ! »

Fébrilement, Ali fouilla dans d'autres cartons, dans sa réserve, alignés contre la pile du pont. Dans un carton, il trouva ce qu'il avait cherché, une vieille poupée borgne et tachée, affublée d'une longue robe à carreaux rouges avec un col de dentelle. Il se souvenait bien de l'endroit où il avait déniché cette merveille. C'était la nuit du lendemain de Noël, dans la belle avenue plantée d'arbres, au centre de la ville. Il était venu plus tôt que d'habitude pour être sûr de passer le premier et de ramasser les vieux jouets dont le Père Noël n'avait plus besoin. Quand il s'était arrêté devant la grille de la maison entourée de son petit jardin, la porte s'était ouverte, et une jeune femme avec de longs cheveux noirs était sortie de la maison, accompagnée d'une petite fille et d'un garçon de dix ans environ, et ils lui avaient donné une assiette de nourriture, du pain et une bouteille de vin.

Maintenant, le vieux Ali avait entrepris d'habiller la petite fille. Avec une adresse surprenante vu l'état de ses mains, il défit un à un les boutons de la robe, souleva la petite fille. Il réussit à passer la tête sans trop de difficulté, puis un bras. Mais les manches étaient trop étroites, et il dut couper le tissu avec son grand couteau harki. Le bébé avait peur, et se mit à crier.

« Peut-être qu'elle a faim ? » pensa Ali.

Que faire ? Ici, sous le pont, jamais rien n'avait été prévu pour donner à manger à un bébé tombé du ciel dans une boîte en carton.

Ali savait bien ce que veulent les petits enfants. Il se rappelait la naissance de Zora, sa plus jeune sœur. Il avait dix ou onze ans quand Zora était arrivée. Sa mère n'avait plus de lait, elle avait fabriqué un biberon avec une bouteille et un chiffon tressé imbibé de lait de chèvre.

C'est alors qu'Ali entendit miauler le chat. Il n'avait pas pensé à Cendrillon depuis qu'il avait trouvé le bébé. Le chat n'était pas vraiment son chat, mais Ali lui avait donné son nom. Quand Ali revenait de sa tournée nocturne, ayant bu passablement, il se couchait sur son lit de cartons, et il appelait : « Cendrillon ! » et le chat venait s'asseoir contre sa poitrine pour le réchauffer. Pour lui, Ali rapportait des friandises dénichées dans les poubelles, ou bien des morceaux de mou qu'il achetait chez le boucher de la vieille ville, celui qui avait une enseigne où était marqué :

TRAVAILLEURS, MANGEZ !

ou bien une boîte de lait concentré Carnation, qu'il versait dans une soucoupe à côté de son lit.

Or, justement, ce jour-là, il avait acheté une de ces boîtes de lait, et c'était pour cela que le chat miaulait ! Tenant toujours le bébé dans sa belle robe rouge, Ali chercha la boîte dans la poche de son pardessus. Il l'essuya vaguement avec un chiffon, et avec son grand couteau harki il perça deux trous. Mais un bébé ne sait pas boire dans une soucoupe comme un chat. Ali se rappela la bouteille de Zora. Dans un autre carton il choisit une bouteille d'eau minérale presque vide, et il versa dedans le contenu de la boîte de lait. Cendrillon se frottait à ses jambes en ronronnant comme s'il avait compris.

Avec les chiffons les plus propres qu'il put trouver, Ali confectionna une tétine qui ressemblait plutôt à la mèche d'une lampe à kérosène — ce qui n'avait rien d'étonnant.

Car c'était lui qui tressait autrefois les mèches pour les lampes de sa mère. Puis il retourna la bouteille et bientôt le lait se mit à suinter au bout de la mèche.

« Tiens, bois, bois le lait. »

La mèche imprégnée toucha les lèvres de l'enfant. Ses yeux grand ouverts regardaient dans le vide, à travers la pénombre du pont, et ses petites mains s'étaient fermées, appuyées de chaque côté de ses joues. Le lait commença à couler, et Ali ressentit une joie inconnue à entendre le bruit de la bouche qui tétait. Évidemment, ça n'allait pas très vite, et de temps en temps le bébé s'énervait et poussait de petits cris d'impatience.

« Bois le lait, bois... » La voix grave d'Ali devait résonner comme un tonnerre dans le corps de l'enfant, qui s'arrêtait de boire et regardait de ses yeux immenses qui ne savaient pas encore accommoder.

Ali pensa tout à coup qu'il fallait donner un nom à l'enfant, pour qu'il ne soit jamais plus « l'enfant de sous le pont ». À peine avait-il pensé à cela qu'il trouva le nom. Il l'appela Amina. Il n'avait jamais imaginé qu'il pourrait avoir un jour une petite fille toute à lui, mais il était sûr que c'était ce nom-là qu'il aurait choisi. « Amina, Amina. » Il répéta plusieurs fois le nom à haute voix, très doucement, et l'enfant continua à sucer la mèche imprégnée de lait sans s'arrêter, ce que le vieux Ali jugea un signe favorable pour le nom qu'il avait trouvé.

Maintenant, Amina avait fini de téter, et ç'avait dû être fatigant, parce qu'elle s'était endormie aussitôt.

« Amina. » Ali s'est couché sur le lit de cartons, la tête appuyée sur le sac qui contenait son argent et ses papiers de harki, à l'abri de la vieille couverture militaire qui faisait comme une tente. Il a déshabillé Amina, et l'a couchée dans un nid de chiffons bien propres, et Cendrillon est venu à son tour et s'est mis en boule en ronronnant. Ce matin-là, alors que la circulation automobile commençait à gronder dans toutes les rues et les boulevards de la ville, un vieil homme, un bébé et un chat se sont endormis paisiblement sous le pont.

Depuis l'arrivée d'Amina, la vie d'Ali avait été complètement bouleversée. Jamais il n'avait imaginé une chose pareille. D'abord, il fallait du lait, beaucoup de lait. Pour lui qui ne s'était occupé que de vin, c'était un problème. Il avait pensé aller voir un de ses cousins, harki comme lui, qui avait une ferme dans le Sud, pour lui emprunter une vache. Mais allez loger une vache sous un pont ! Alors il avait eu un arrangement avec un des bouchers de TRAVAILLEURS, MANGEZ ! qui acceptait de lui fournir une bouteille de lait de chèvre chaque jour, en échange de tout ce qu'Ali pouvait lui apporter, et surtout des chaussures. Ali avait exigé du lait de chèvre parce qu'il se souvenait que, dans son village, les femmes qui n'avaient pas de lait donnaient du lait de chèvre, qui est celui qui ressemble le plus au lait des femmes. Il avait aussi acheté deux ou trois biberons pour remplacer la bouteille à mèche.

À présent, il était organisé ; toute la journée, il restait couché sous la couverture avec cette petite chose vivante et tiède qui dormait à côté de lui, se réveillait à heures régulières, gazouillait puis pleurnichait quand elle avait faim ou qu'elle avait les fesses sales. La nuit, Ali commençait sa tournée. Mais il ne s'absentait pas plus d'une heure, pour le cas où Amina se réveillerait. Il laissait Cendrillon à côté d'elle, parce qu'il se souvenait que les rats attaquent quelquefois les bébés. Il ramenait dans la charrette à bras les cartons et les plastiques qui provenaient du quartier des banques et des bureaux. Et un peu avant l'aube, il faisait sa tournée de détail dans les beaux quartiers, où les gens n'hésitent pas à jeter un poste de radio ou une montre parce que les piles sont usées, et où l'on trouve toujours des chaussures.

À l'aube, après la première tétée, il mettait Amina dans le vieux landau et il se promenait tout simplement le long des grandes avenues bordées d'arbres, encore silencieuses et endormies, avec la lueur du jour qui éclairait déjà le haut des immeubles et le chant joyeux des moineaux dans les jardins. C'était le moment de la journée qu'Ali préférait. Jamais de sa vie il ne s'était promené, juste pour le plaisir de flâner sans penser à rien, au hasard des rues. Comme il n'y avait personne sur les trottoirs, Ali pouvait parler à Amina, lui raconter des histoires de son enfance, ou bien lui expliquer les rues, les maisons, les arbres et les moineaux.

Après le froid de l'hiver, il y eut le printemps puis l'été. Amina à présent était une grosse poupée, avec beaucoup de cheveux noirs, des bras et des jambes bien forts, et toujours ces yeux immenses à la sclérotique couleur de nacre et aux prunelles d'un brun chaud, les plus beaux bijoux qu'Ali ait jamais admirés.

Quand le landau roulait par les rues, sous le feuillage des marronniers, Amina cherchait à se redresser pour mieux voir. Maintenant elle parlait sans arrêt, si bien qu'Ali n'avait plus droit à la parole. Ali appelait ça parler, bien que pour beaucoup de gens, ça n'aurait été qu'une suite de sons incompréhensibles, gazouillis, gloussements, rires, balbutiements et bruits de langue. Mais lui, il comprenait tout comme si c'était un langage, et il savait répondre en faisant les mêmes bruits, et tous deux éclataient de rire en même temps. Heureusement, dans les beaux quartiers, les gens ne sont pas très matinaux et personne ne faisait attention à ce clochard qui poussait son vieux landau en parlant tout seul.

Une fois seulement, il avait failli avoir des ennuis, un matin où des policiers avaient fait un barrage sur l'avenue, sans doute pour le passage d'un grand ministre qui avait travaillé toute la nuit. Quand Ali est arrivé, les policiers l'ont regardé avec méfiance ; Ali a répondu tout simplement :

« C'est mon bébé. »

Les policiers ont éclaté de rire en entendant cette bonne blague, et ils n'ont même pas baissé la capote du landau.

L'automne est revenu, puis le commencement de l'hiver. Jamais Ali n'avait passé une année plus heureuse. Amina avait appris à marcher à quatre pattes, et maintenant elle était capable des choses les plus étonnantes, comme de s'asseoir pour feuilleter un livre, ou de se servir d'une boîte en fer et d'une cuillère pour jouer du tambour.

Surtout, elle chantait. Pour le vieux Ali, c'était un ravissement. Il avait installé pour elle un terrain de jeu sous le pont, balisé avec de grands cartons et des feuilles de contre-plaqué pour l'abriter du vent. Amina passait la journée à courir à quatre pattes, faisait des constructions avec la collection de boîtes à thé, jouait du tambour et chantait. Ali restait couché sous sa tente, il l'écoutait en buvant du thé à la menthe avec le chat Cendrillon lové contre lui. Il était parfaitement heureux.

Pourtant, avec le retour du froid, les choses devinrent difficiles. D'abord il y avait eu ces deux vagabonds inconnus, qui venaient d'une autre ville, et qui cherchaient un abri. Ali avait eu beau leur expliquer qu'il n'y avait pas assez de place sous le pont, ils ne voulaient pas comprendre. Ali avait eu peur pour Amina, et il avait dû se montrer méchant. Il s'était redressé de toute sa taille, avec son grand manteau kaki de l'armée qui flottait dans le vent, sa barbe hirsute et son grand couteau harki à la ceinture. Les deux vagabonds avaient battu en retraite en proférant des menaces.

Alors Ali n'osait plus s'absenter. S'ils venaient, s'ils volaient Amina ?

Et maintenant que le bébé marchait à quatre pattes et s'occupait à chanter, à battre du tambour et à lire des livres, Ali n'avait guère de repos le jour et son travail s'en ressentait. Il avait épuisé ses stocks de chaussures et de vieux cartons pour payer le lait d'Amina, et pour acheter à la pharmacie les petits pots de purée de fruits et de légumes. Lui-même n'avait plus le temps de se faire à manger et l'essentiel de ses repas consistait en bouillie d'avoine (qu'il partageait avec Amina et Cendrillon) arrosée d'huile d'olive. C'était d'ailleurs ce que les gens de sa tribu mangeaient tous les jours dans les montagnes. Inutile de dire que, depuis l'arrivée d'Amina, il avait complètement cessé de boire du vin.

Un jour d'octobre, le garçon boucher de TRAVAILLEURS, MANGEZ ! dut mettre les choses au point : Ali n'apportait plus rien de bon ; la dernière paire de chaussures qu'il avait fournie était tout juste digne de figurer dans la panoplie d'un pêcheur qui l'aurait sortie du fond du canal ! Ça ne pouvait plus durer. Ali ne devait plus compter sur lui pour le lait.

Ali revint sous le pont, sombre et découragé. Même les chansons d'Amina ne purent le dérider. Il réfléchit toute la journée. Il n'était pas question de recommencer avec les boîtes Carnation. Même Cendrillon n'en voulait plus. D'ailleurs, en examinant ses réserves, Ali se rendit compte qu'il n'avait pratiquement plus rien. En un an, il avait épuisé tous ses trésors, les outils et les vieux meubles, les postes T.V., les vêtements usagés, les chaussures, les provisions de roulements à billes et les clefs, les collections de cartes postales, de boulons et d'écrous, et même une vieille machine à écrire Smith-Corona Skywriter qu'il avait gardée pour Amina quand elle serait plus grande, et une peinture à l'huile qu'il avait trouvée dans un terrain vague, qui représentait une petite fille aux cheveux noirs et aux joues fraîches, qui ressemblait à l'enfant de sous le pont.

Quand la nuit est tombée, Ali avait pris sa décision. Il fallait trouver des parents pour Amina, un vrai papa et une vraie maman qui lui donneraient une maison pour la protéger du froid de l'hiver et l'aimeraient toute sa vie.

Il n'était pas question d'aller à la police (Ali n'aimait pas beaucoup les uniformes) ou chez les bonnes sœurs (d'ailleurs, il n'était pas de la même religion).

Ali a passé la dernière nuit sans dormir. Amina était couchée comme chaque soir, enroulée dans les linges, à côté de Cendrillon. Elle dormait paisiblement, avec seulement de temps en temps son souffle qui allait plus vite et ses mains qui bougeaient, quand elle rêvait.

Un peu avant l'aube, Ali a mis Amina dans le vieux landau comme d'habitude. Le bébé s'est réveillé, a pris son biberon tiède, puis s'est rendormi tandis que le landau cahotait et grinçait sur le pavé du quai, Ali a marché lentement dans les rues silencieuses, pour faire durer l'aube.

Dans la grande avenue bordée d'arbres rouillés par l'hiver, il y avait cette petite maison entourée d'un jardin grand comme un mouchoir de poche. Ali la connaissait bien. Il n'avait pas oublié cette soirée du lendemain de Noël où on lui avait donné à manger. Il savait que c'était une maison heureuse, avec des enfants, un chat, un chien, et même des poissons rouges (il avait vu les paquets de paillettes pour les poissons).

Il a arrêté le landau devant la grille du jardin. Il faisait encore nuit. Le vent poussait les feuilles mortes sur la pelouse, les faisait danser. Tout semblait dormir. Ali a appuyé sur la sonnette très longuement, jusqu'à ce qu'une fenêtre s'éclaire au premier étage. Puis la porte s'est ouverte sur un monsieur à lunettes et une jeune femme en peignoir blanc. Il y avait une petite fille aussi, avec des cheveux noirs et des yeux bruns, et Ali a pensé que c'était bien.

Il s'est penché vers Amina et très doucement, pour ne pas la réveiller, il a murmuré : « Voilà, c'est ta maison. » Pour que la jeune femme sache, il a tout de même tenu à dire le nom qu'il avait donné à l'enfant de sous le pont :

« Elle s'appelle Amina. C'est ta fille maintenant. »

Puis sans attendre, peut-être aussi pour ne pas pleurer, il a laissé le vieux landau devant la grille et il est parti à grands pas le long de l'avenue.

LA FORTIFICATION

ÉRIK ORSENNA

Il était une fois à Verdun (France) un écolier qui ne s'intéressait pas aux études. À ce qu'on m'a signalé, le fait n'est pas rare, contrairement aux dires des parents et aux statistiques des ministres. Au cours de mathématiques, notre écolier dormait. À ceux de français, il élevait (en saison) des hannetons ; le reste de l'année, il lisait sur ses genoux *Moby Dick*, une histoire de baleine comme on n'en avait jamais vu à Verdun (cité

enclavée au milieu des terres). Idem en anglais, en latin et en technologie.

« Que feras-tu plus tard ? »

Les orienteurs s'arrachaient les cheveux.

« Calmos, répondit l'écolier en leur caressant la main droite, je serai guide de guerre. »

Curieux métier, sans aucun doute, mais qui faisait vivre la moitié de la région, siège de la deuxième plus meurtrière bataille depuis que l'homme existe, c'est-à-dire depuis que la haine est haine. Mais attention : l'écolier ne voulait pas devenir l'un de ces jean-foutre qui annoncent dix minutes de fadaises devant le fort de Douaumont ou la tranchée des baïonnettes avant de demander l'aumône d'un air menaçant. L'écolier, depuis son plus jeune âge, se préparait à sa mission : faire entrer les humains au cœur même de la guerre, au sein de cette folie méticuleuse. Et pour cela, tout savoir, jour après jour, de l'horrible conflit qui s'était déroulé du 1er août 1914 au 11 novembre 1918, trois ou quatre millions de morts plus tard. Tout son temps passait à ce travail acharné, preuve qu'il était tout sauf le cancre généralement présenté. Simplement son ambition était particulière et il avait résolu de lui sacrifier sa vie.

Ému par tant d'application, son instituteur prit le train, gagna le ministère, regarda droit dans les yeux un sous-chef de bureau :

« Aux actuelles 1674 options du baccalauréat, ne serait-il pas possible d'ajouter celle-ci : théorie et pratique du conflit mondial numéro un ? »

Comme on pouvait s'y attendre, le fonctionnaire leva les bras au ciel, signe non pas d'accès mystique mais de pénurie budgétaire.

Dûment informé, notre héros quitta sa classe à l'instant, pour n'y plus jamais revenir. Et maintenant, après le fameux Prix Nobel, quand l'Éducation nationale fait sa fière et tente de revendiquer « le splendide succès d'un de ses fils parmi les plus méritants », les personnes les mieux informées s'esclaffent.

Libéré des contraintes du programme scolaire, notre ex-écolier progressait à vive allure, ne se contentant pas de tout connaître du site (et pour cela il devait résister aux jeunes filles de la région, fort délurées durant les trois mois d'été et que cet environnement macabre semblait émoustiller ; certaines, même, avaient de bons prétextes : dans ces bois, la vie doit partout remplacer la mort, dans chaque ancien cratère de bombe un câlin tout neuf, etc.).

Outre ces enquêtes locales et minutieuses, donc, il entretenait une correspondance savante avec ce que la planète compte d'experts en poliorcétique (« art de défendre ou d'attaquer une place forte »). Ainsi, il n'avait pas atteint ses 18 ans que sa culture militaire s'étendait jusqu'à la Chine (Grande Muraille) et au Pérou (citadelle inca de

Saxahuaman), sans oublier l'ancien temps (Troie, Rome, Carcassonne, etc.).

Le jour, enfin, se leva. Le jour où il se jugea digne de présenter les choses de la guerre à des visiteurs. Le syndicat d'initiative, comme on s'en doute, lui avait réservé un public choisi : une éthologue du Texas, protégée de la bruine par un imperméable transparent bleu, et par ailleurs spécialiste des piranhas :« Mais vos poilus étaient pires en cruauté, jeune homme » ; un peintre allemand, géant chauve à l'œil illuminé : « J'ai dédié mon travail à la réconciliation » ; Raymond Poulidor, l'ancien champion cycliste : « Si les Allemands ou les Français avaient fait comme moi et accepté de terminer seconds de la guerre, il n'y aurait pas eu de guerre » ; et un jeune intense, la quarantaine, le poil très noir, l'œil vif et pour le reste quasi muet.

Le jeune intense, avouons-le, méprisa le début de la visite. Il demeurait cadenassé en lui-même, possédé par quelque hantise et ne communiquant avec le monde extérieur que par des moues méprisantes. Notre guide avait beau déployer toute sa science, révéler des secrets, décrire avec sensibilité la vie des combattants et l'irresponsabilité des politiques, rien n'y faisait. Échec total avec l'intense qui regardait de plus en plus souvent sa montre et marmonna même, comme le petit groupe quittait l'ossuaire :

« C'est bien joli tout ça, mais peut-on appeler un taxi ? »

Et puis soudain, devant Douaumont, changement brutal de climat.

Notre ex-cancre et déjà meilleur guide de guerre du monde expliquait l'acharnement des combats, la conquête par les Allemands, la reprise par les Français, et ainsi de suite, des mois et des mois durant, et l'amoncellement des morts. Emporté par sa passion, il avait sorti une carte et expliquait les erreurs stratégiques, l'immense gaspillage de vies humaines, les mesures toutes simples qui auraient permis, à bien moindre coût, soit de défendre la place, soit de s'en emparer.

L'intense s'était réveillé. Il buvait ces commentaires. À un moment même, il arracha la carte, posa deux questions fiévreuses sur la place d'une fascine et l'orientation d'un fossé. Longtemps, devant les autres visiteurs éberlués (l'éthologue, spécialiste des piranhas, répétait : « Quel impoli, *what a rude, rude man !* »), le guide et lui discutèrent de leurres, idée envisagée et puis rejetée ; parlèrent de souterrains, de trahisons, du cheval de Troie... de toutes les techniques de siège depuis que le monde est monde. L'intense avait sorti un carnet et notait, notait.

« C'est pour aujourd'hui ou pour demain », grommelait le chauffeur du petit car qui transportait ces visiteurs peu ordinaires.

Quant au peintre, il avait disparu. On retrouve souvent, dans les forêts de la région encore blessées par les batailles d'il y a quatre-vingts ans, des exaltés qui errent sans but : la folie d'alors les a atteints. Le temps qui passe, toutes ces années qui nous séparent de l'horreur, n'est pas un isolant suffisant.

Et aujourd'hui encore, des arrière-petits-enfants d'ensevelis ont ce même cauchemar, ils rêvent qu'ils étouffent, la gorge pleine de terre.

Cinq ans plus tard, quand il reçut son invitation, l'ex-cancre et meilleur guide de guerre du monde hésita, hésita longtemps. Il n'avait jamais pris l'avion et il se demandait comment il supporterait cette nouvelle terreur, ajoutée à toutes celles qu'il portait dans la tête, de par son métier. Mais la lettre était si précise, si chaleureuse : « Je vous dois ma découverte... votre analyse de la défense et de l'attaque... vos conceptions du siège... Au fond, une cellule est une place forte et le virus l'envahisseur... Verdun peut-être aura servi... S'il vous plaît, venez... ».

Une fois arrivé à Stockholm, après un vol sans histoire, il enfila, autre expérience inédite, un smoking ; et applaudit longuement quand le roi remit à l'intense son Nobel de médecine « pour des travaux décisifs dans le domaine crucial de l'immunité et qui, en pénétrant les secrets de la cellule et les moyens de renforcer ses capacités de lutte, ouvrent des voies nouvelles et prometteuses vers l'élaboration d'un vaccin anti-V.I.H. ».

VACANCES SURPRISES

JEANNE BOURIN

VACANCES
SURPRISES

Pour les huit ans de Jean-Loup, ses parents lui avaient offert une paire de patins à roulettes du dernier cri. Puis ils lui apprirent qu'en juillet, pour les vacances d'été, ils partiraient tous quatre, avec Marine sa petite sœur de six ans, qui était aussi blonde que lui était brun. Cette fois-ci ils n'iraient pas à la campagne, chez la mère de leur maman comme ils en avaient l'habitude, mais à l'étranger, au Portugal.

« C'est où, le Portugal ? demanda Marine.

— Assez loin de Paris, au bord de la mer, répondit le père des enfants, Patrick Dubreuil.

— Pour y aller, nous traverserons une partie de l'Espagne, ajouta leur mère, Catherine.

— Chic alors, s'écria Jean-Loup, ça va être super ! »

Il sautait de joie. Ses cheveux bouclés dansaient sur sa tête ronde. Ses yeux bleus riaient.

« On va voir des pays qu'on ne connaît pas et on fera des découvertes ! »

La seule chose qui l'ennuyait était d'attendre si longtemps. On était le 10 avril et juillet lui paraissait tellement lointain…

Mais le temps passe vite, même quand on est impatient et qu'on a huit ans. Les classes s'achevèrent et l'on commença à la maison de préparer le voyage.

Les parents de Jean-Loup et de Marine avaient loué, par l'entremise d'une agence, une maison à Sesimbra, petite station balnéaire qui paraissait charmante et que la propriétaire de l'agence leur avait vivement recommandée.

« La maison n'est pas loin de la plage, assura la mère des enfants, et il paraît qu'elle a un patio tout à fait plaisant. »

Le grand jour fixé pour le départ arriva enfin. La voiture fut chargée à craquer et la petite famille prit la route le 1er juillet à quatre heures du matin. Il faisait beau. Les enfants, qu'on avait arraché à la douceur du lit, étaient trop énervés pour avoir encore sommeil. Ils commencèrent par se disputer et il fallut que Patrick Dubreuil se fâche pour obtenir la paix.

« Si l'on jouait à compter les vaches que nous verrons dans les prés ? proposa leur mère au bout d'un moment.

— C'est un jeu idiot, grommela Jean-Loup, boudeur.

— Alors, comptons les motos, dit Catherine.

— J'aime mieux ça », admit le petit garçon du ton important de quelqu'un qui prend sa revanche.

Entrecoupé de jeux, de chansons, d'arrêts-pipi, des pauses-sandwich, le voyage se passa bien jusqu'à Bayonne où les voyageurs dînèrent et couchèrent dans un hôtel agréable.

Le lendemain matin, ils repartirent dès l'aube et il fallut de nouveau trouver des amusements pour faire passer le temps. Heureusement, Jean-Loup et Marine avaient une mère inventive et dynamique, qui ne manquait jamais d'idées pour divertir ses enfants.

Franchir la frontière en mettant un pied de chaque côté de cette ligne idéale, invisible mais cependant réelle, fut aussi une expérience pleine d'intérêt.

Patrick Dubreuil expliqua aux enfants qu'autrefois des douaniers pointilleux gardaient les postes frontières et pouvaient exiger qu'on déballe tout ce que contenaient les valises. Dieu merci, les choses avaient changé depuis qu'on avait créé l'Europe unie et, à présent, on pouvait passer sans la moindre complication.

Les Dubreuil repartirent donc tranquillement. Longer

la côte espagnole jusqu'au Portugal parut cependant à tous fort long et fastidieux.

« Maman, je suis fatiguée ! pleurnichait Marine.

— Maman, j'ai faim ! » criait Jean-Loup.

Heureusement, le dépaysement les distrayait un peu et cette seconde journée de route s'écoula sans trop de peine.

Quand la voiture parvint à Sesimbra, la nuit tombait déjà. Trouver la maison ne fut pas facile dans la demi-obscurité. Les numéros des demeures étaient invisibles ou inexistants, et demander le chemin à suivre aux Portugais de rencontre qui ne parlaient pas français était hors de question.

Par chance, une femme qui avait travaillé en France put tout de même renseigner les voyageurs qui parvinrent enfin devant la pauvre façade du logis tant espéré. La nuit était venue entre-temps. Il faisait noir et c'est à la lueur des phares que les Dubreuil découvrirent la maison où ils allaient passer leurs vacances.

Hélas ! on était loin de la description faite par la directrice de l'agence. L'intérieur n'était pas plus séduisant que l'extérieur. Des pièces exiguës, mal meublées, mal éclairées, entouraient une cour étroite où un laurier-rose maladif et quelques pots de fleurs sans grâce cherchaient à justifier le nom de « patio » dont on l'avait affublée.

« Quand je pense à la façon dont tu m'as parlé de ce gourbi ! lança, furieux, le père de famille à sa femme.

— Mais l'agence m'avait montré des photos séduisantes protesta Catherine, tout aussi déçue que son mari.

— On peut truquer n'importe quel cliché pour allécher les clients qu'on juge naïfs. Tu es bien trop crédule, ma pauvre fille ! Tout le monde sait que les agences immobilières ne cherchent qu'à fourguer leurs rossignols !

— Vous n'allez pas vous disputer, vous deux ! gémit Marine qui tombait de sommeil.

— Tu as raison, reconnut Catherine. Nous pouvons toujours manger les sandwichs qui restent, ajouta-t-elle pour faire diversion, et ensuite nous irons nous coucher. Demain, nous aviserons. Venez, les enfants, nous allons faire tout de suite les lits avec les draps que nous avons apportés. »

Les ampoules qui pendaient au plafond projetaient une lumière pauvre et triste, mais la literie était parfaitement propre, les matelas et les sommiers neufs.

La famille Dubreuil se coucha avec accablement et amertume. Aussi, Catherine, tourmentée par la perspective de ces vacances qui commençaient si mal, ne parvint-elle à s'endormir qu'à une heure fort avancée de la nuit.

Le lendemain matin, le soleil réveilla Jean-Loup. Les rideaux de cretonne à fleurs qui décoraient la fenêtre de sa chambre ne fermaient pas bien et laissaient passer une lumière dorée. Il se leva sans bruit et gagna la cour pour voir en plein jour à quoi ressemblait cette maison qui leur avait fait si mauvaise impression la veille au soir. Il passa sur la pointe des pieds devant la chambre de ses parents et devant celle où dormait sa sœur. Il ne voulait réveiller personne pour juger seul de l'effet que lui produirait un endroit où ils devaient passer un mois. Le beau temps et la chaleur amélioraient les choses. À cette heure matinale, la cour était moins laide et les plantes moins misérables qu'il ne les avait jugées à la nuit tombante.

Levant les yeux, il découvrit une petite terrasse située sur le garage où, le soir précédent, son père avait remisé, avec mauvaise humeur, leur Renault 19. Un escalier extérieur permettait d'y grimper. Curieux de nature, Jean-Loup courut vers l'escalier qu'il escalada rapidement. De la terrasse, on surplombait d'un côté la cour étroite, coincée entre les murs chaulés de la maison et ceux du garage, mais, de l'autre côté, on découvrait un jardin immense, planté d'arbres magnifiques. Des pelouses, parfaitement entretenues, une piscine de mosaïque bleue dont l'eau scintillait, et un bois de grands pins parasols créaient un décor de rêve au milieu duquel se dressait une belle maison portugaise peinte en ocre.

De nombreuses fenêtres encadrées de blanc et un fronton décoré de sculptures ornaient sa façade. Sur le perron assez élevé qui conduisait à l'élégante demeure se tenait une petite fille à peu près de l'âge de Jean-Loup. Assise sur la plus haute marche, elle jouait avec un beau lévrier à poil ras couleur sable, et elle embrassait en riant la tête fine de son compagnon.

Jean-Loup était fasciné. Par la beauté du parc, du chien, de la maison, mais surtout par la blondeur et le sourire de la petite fille. Sans y penser, il s'avança jusqu'au bord de la terrasse et se pencha en avant pour mieux la voir. En marchant comme il le faisait, sans regarder à ses pieds, il heurta une bouche d'air qui se trouvait là pour ventiler le garage, et il tomba lourdement sur les genoux. Le bruit de sa chute alerta le chien qui s'élança en aboyant jusqu'au pied du mur séparant les deux maisons.

« Paix, Cheik, paix ! » cria la petite fille, tout en dégringolant les marches du perron et en courant vers le lévrier.

Parvenue auprès de l'animal exaspéré, qui continuait à manifester avec violence sa colère, elle leva les yeux et aperçut la tête ébouriffée de Jean-Loup qui se découpait sur le ciel bleu.

« Qui es-tu ? demanda-t-elle. Je croyais que cette maison-là était vide. »

Elle parlait français, ce qui soulagea beaucoup le petit garçon.

« Nous sommes arrivés hier soir, dit-il en faisant la grimace, car son genou écorché lui faisait mal. Je suis monté sur la terrasse du garage et je suis tombé.

— Tu es français ?

— De Paris ! » jeta Jean-Loup avec importance.

La petite fille éclata de rire.

« Moi aussi, lança-t-elle joyeusement. Tant mieux ! Papa et maman ont acheté cette villa il y a déjà longtemps, mais je m'y ennuie un peu. Tu comprends, je suis fille unique et je n'ai personne avec qui jouer. »

Elle fit la moue et haussa les épaules.

« Ce n'est pas drôle d'être toute seule avec, par-dessus le marché, une jeune fille au pair, une Anglaise, qui est un vrai chameau ! Heureusement, tout de même, j'ai Cheik pour me tenir compagnie. »

Elle caressait le chien qui se calmait et regardait à présent en l'air avec un visible intérêt.

« Moi, je ne suis pas seul, reprit Jean-Loup. J'ai une petite sœur de six ans, qui s'appelle Marine. Et toi, je ne sais pas ton nom.

— Constance !

— C'est un joli nom !

— Tu trouves ? Peut-être... Mais je ne connais toujours pas le tien.

— Jean-Loup.

— Comme un loup ?

— Oui. Mais je ne suis pas méchant. Je ne mords pas ! »

Ils rirent tous deux.

« J'ai une idée, reprit Constance. Si vous veniez, ta sœur et toi, jouer avec moi, cet après-midi.

— Pourquoi pas, lança Jean-Loup. On devait aller sur la plage, mais on ira plus tard.

— Alors, venez après déjeuner. Je vais prévenir mes parents et cette peste de Miss Anderson. Maman, qui est toujours malade, sera ravie d'apprendre que je connais de nouveaux amis.

— Ton chien ne va pas nous dévorer ?

— Penses-tu ! Quand il est habitué aux gens, il est très gentil. Et moi, qui le connais bien, je crois qu'il commence à te trouver sympa.

— Génial ! Génial ! » s'écria Jean-Loup.

En même temps, il entendit son père qui l'appelait dans la cour.

« Allons, je dois me sauver, expliqua-t-il à Constance. Papa m'appelle. À tout à l'heure. »

Il redescendit l'escalier en boitillant.

« Tu es tombé ? Pourquoi diable es-tu monté sur cette misérable terrasse ?

— Viens voir, papa, viens avec moi.

— Pour quoi faire ? »

Le ton de Patrick Dubreuil était des plus réticents.

« Pour voir, justement, répondit l'enfant en tirant son père par la manche. Ça en vaut la peine ! »

La main dans la main, l'un tirant l'autre, ils gravirent ensemble l'escalier.

« Bon sang ! s'exclama Patrick en découvrant la superbe demeure qui jouxtait celle, si modeste, qu'ils avaient louée. Bon sang ! je n'aurais jamais pensé que de l'autre côté de ce mur il aurait pu y avoir une pareille propriété !

— C'est beau, hein ?

— Splendide.

— Eh bien, je connais la fille qui habite dans cette maison. Elle nous a même invités à aller jouer avec elle après déjeuner, Marine et moi.

— Qu'est-ce que tu racontes ?

— La vérité ! »

Jean-Loup rapporta ce qui lui était arrivé sur la terrasse, et comment il s'était lié d'amitié avec Constance.

« Elle est très gentille, tu sais. Sa maman est malade et elle s'ennuie toute seule, avec seulement son chien pour copain. »

Et tout bascula à partir du moment où Jean-Loup et Marine franchirent le portail de la grande maison. Constance les reçut comme s'ils se connaissaient depuis toujours. En compagnie de Cheik, qui parut tout de suite accepter Jean-Loup avant de flairer longuement Marine, un peu craintive, mais vite apprivoisée, le frère et la sœur visitèrent avec Constance le parc rempli de fleurs. Comme ils parvenaient tous trois devant la piscine, une voix aigre s'éleva soudain et une grande fille anguleuse surgit d'un petit bungalow de bois d'où elle avait dû guetter l'arrivée des enfants. Elle était blonde et pâle. Des lunettes noires cachaient ses yeux. Une grande bouche, ornée de longues dents, un peu déchaussées, parlait en anglais sur un ton de reproche.

« Ou'est-ce qu'elle dit ? » demanda Jean-Loup.

Constance haussa les épaules.

« Que veux-tu qu'elle dise ? Des méchancetés, forcément. Sans vous connaître, elle vous accuse d'être mal élevés. »

La petite fille répondit également en anglais à Miss Anderson, d'une voix que Marine trouva un peu impertinente, ce qui la réjouit.

« Tu parles vachement bien anglais, remarqua Jean-Loup, admiratif.

— J'y suis obligée. Elle ne sait pas un mot de français, répondit Constance. C'est pour ça que mes parents l'ont engagée. Pour que je devienne bilingue.

— C'est quoi, bilingue ? demanda Marine.

— C'est savoir parler aussi bien une autre langue que le français », expliqua Jean-Loup, assez satisfait de son savoir.

Miss Anderson répondait avec véhémence à son élève et il n'était pas difficile de comprendre à ses gestes qu'elle lui reprochait la présence de ses deux amis.

« Sauvons-nous, chuchota Jean-Loup. C'est la seule façon de nous débarrasser d'elle. »

Suivis de Cheik, les enfants s'élancèrent en courant vers le fond du jardin sans se soucier davantage des vociférations de leur ennemie. Ils auraient cependant dû se méfier de cette femme qui ne pouvait accepter d'être bafouée par son élève devant des étrangers. D'un pas rageur, elle se dirigea vers la maison où elle s'engouffra comme une furie. Peu de temps après, le père de Constance sortit de sa villa, le visage sévère. C'était un homme grand et imposant, avec des traits forts et un nez busqué qui le faisait ressembler à un aigle. Il se dirigea rapidement vers la pelouse où sa fille et ses jeunes amis plantaient les arceaux d'un jeu de croquet. Cheik était couché sur l'herbe, à l'ombre.

« Qu'est-ce que j'apprends ? dit-il. Tu as été impertinente avec Miss Anderson, Constance. Tu devrais avoir honte. Si nous l'avons fait venir ici, pendant les vacances, c'est pour qu'elle s'occupe de toi et te permettre d'améliorer ton anglais. Je suis très mécontent de ton insolence et je dois te punir. Dis au revoir à tes nouveaux amis et monte dans ta chambre. Tu es privée de croquet pour aujourd'hui.

— Oh ! papa, j'étais si contente d'avoir enfin trouvé d'autres enfants pour jouer avec moi ! Laisse-les rester, je t'en prie. »

Elle avait les larmes aux yeux et Jean-Loup pensa qu'elle était encore plus jolie avec cet air triste et son regard brillant que lorsqu'elle riait.

« Il n'en est pas question. Obéis-moi et tais-toi. »

Jean-Loup fit un pas en avant.

« Monsieur, s'il vous plaît, dit-il en posant ses prunelles claires sur cet homme impressionnant qui le dominait de sa haute taille, ne grondez pas Constance. C'est moi qui ai eu l'idée de nous sauver loin de la jeune Anglaise, parce qu'elle nous criait après sans raison. Nous venions tout juste d'arriver et elle nous est tombée dessus en nous attrapant comme si elle nous en voulait d'être venus voir votre fille.

— Elle n'apprécie pas que j'aie des amis, elle est méchante », soupira Constance.

Son père considérait Jean-Loup avec intérêt.

« Tu es un garçon intelligent et courageux, reconnut-il en changeant de ton. Allez, venez tous les trois avec moi. Je vais vous raccommoder avec Miss Anderson. Tu lui feras des excuses, Constance, c'est indispensable, car tu lui as parlé de façon impolie. »

Suivis de Cheik, ils retournèrent tous quatre vers la maison. En entrant dans la vaste pièce de séjour, lumineuse et gaie, ils aperçurent une jeune femme rousse, à l'aspect maladif, étendue sur une chaise longue. Près d'elle, l'air offensé, se tenait Miss Anderson.

Sans hésiter, Constance alla vers elle et lui dit une

courte phrase en anglais, une formule d'excuse sans doute, puis elle se tourna vers sa mère.

« Maman, voici mes nouveaux amis. Ils habitent dans la maison d'à côté. Je suis si heureuse de les connaître. Tu sais, ils n'ont pas de jardin chez eux et je les ai invités à venir jouer ici avec moi.

— Tu as bien fait, ma chérie. Puisque tu es réconciliée avec Miss Anderson, demande-lui de vous emmener goûter dans le bungalow, près de la piscine. Vous pourrez vous baigner ensuite, si vous le voulez. »

Ce fut une journée merveilleuse, pleine de rires et de jeux, durant laquelle la jeune Anglaise sut se montrer sous un meilleur jour. Le soir venu, on sonna au portail et Patrick Dubreuil entra dans le jardin.

« Je suis venu vous chercher, dit-il à ses enfants. Votre mère et moi sommes décidés à repartir d'ici. Nous allons rentrer en France. Notre misérable maison est trop laide. Nous ne nous y habituerons jamais. Aussi avons-nous décidé de retourner chez votre grand-mère qui sera ravie de nous recevoir.

— Tu ne peux pas faire ça, papa, cria Jean-Loup. On s'amuse si bien ici ! »

Marine pleurait.

Alerté par le coup de sonnette, le père de Constance arriva sur ces entrefaites. Il se présenta :

« Pascal Brémont ». Puis il ajouta : « Depuis que vos enfants sont arrivés, ma fille rayonne. Elle est si heureuse d'avoir trouvé des amis français... et bien élevés.

— Hélas ! répondit Patrick Dubreuil, cette amitié toute neuve sera sans lendemain. La misérable bicoque que nous avons louée nous a dégoûtés du Portugal. Demain, nous repartons pour la France. »

Ce fut au tour de Constance d'éclater en sanglots. Jean-Loup essuya d'un air rageur une larme sur sa joue.

« Papa, je t'en supplie...

— Attendez, lança alors Pascal Brémont. J'ai une idée. Puisque nos enfants s'entendent si bien, je puis vous proposer quelque chose. Notre maison est très grande. Trop grande pour nous seuls. Pourquoi ne viendriez-vous pas vous y installer tous les quatre ? Vous profiteriez du jardin, de la piscine, nos enfants seraient heureux et je vous ferais découvrir aux alentours des plages fort agréables. Vous verrez : le pays est très beau.

— Je ne puis accepter...

— Oh ! si, Papa, accepte. Accepte, Papa ! »

Jean-Loup et Marine avaient crié en même temps, d'une même voix.

« Vous voyez bien : tout le monde serait si heureux.

— Il faut que j'en parle à ma femme... »

Et c'est ainsi que des vacances mal commencées se transformèrent en vacances idéales et que les Brémont et les Dubreuil devinrent par la suite de grands amis, à l'entière satisfaction de Cheik lui-même, devenu le meilleur copain de Jean-Loup et de Marine.

VACANCES
SURPRISES

LES QUATRE VIVANTS

LES QUATRE VIVANTS

LES QUATRE VIVANTS

RÉGINE DEFORGES

LES QUATRE VIVANTS

LES QUATRE VIVANTS

À Clara

C'est bientôt l'été. Olga a décidé de partir visiter le monde. Elle ne peut plus se contenter du quotidien : ses parents, ses frères et sœurs, ses amies, l'école, les livres. Ni les déguisements les jours de pluie, ni les promenades en forêt à la recherche des premiers brins de muguet ou des timides girolles ne lui suffisent plus ; elle a besoin d'ailleurs.

Aussi, un après-midi, allongée sur l'herbe du jardin de Léa, est-elle partie, très vite, s'élevant dans l'air comme un oiseau qui n'aurait pas besoin d'ailes pour voler. C'est surprenant et merveilleux. Elle a tôt fait de se retrouver dans le ciel. Comme tout paraît petit, vu d'en haut ! Doucement portée par un vent tiède et moelleux, Olga serre contre elle sa panthère noire en peluche. Elle ne serait pas étonnée de rencontrer Alice et le chat de Chester, ou Peter Pan et la fée Clochette, ou encore Mary Poppins et son parapluie. Mais non, rien de semblable. Olga a l'impression que des milliers de regards sont posés sur elle.

Aussi n'est-elle pas surprise de découvrir un lion pourvu d'ailes avec des yeux partout, un taureau volant, lui aussi plein d'yeux, un aigle... Cela lui semble normal. Ce qui l'intrigue, en revanche, c'est cette tête de jeune homme triste et barbu avec sa longue chevelure à laquelle s'accrochent des yeux, et d'autres qui volettent autour d'elle. Et puis ce mouton à la gorge béante d'où coule du sang : elle compte qu'il a sept cornes et sept yeux. « Le pauvre », se dit-elle.

À ce moment-là, il lui semble qu'une porte s'ouvre dans le ciel et qu'une voix lui dit : « Monte ici, Olga. Je te ferai voir les choses qui doivent arriver désormais. »

Perplexe mais obéissante, elle se dirige vers la voix. Au-delà de la porte, il n'y a qu'une grande clarté d'où jaillit un arc-en-ciel. Le mouton, l'aigle, le taureau, la tête du jeune homme, le lion et tous les yeux l'ont suivie.
« Nous sommes les Quatre Vivants, dit le jeune homme. Lui, c'est l'Agneau. »

Disant cela, il s'incline ainsi que les trois autres devant l'Agneau blessé.
« Il faudrait le soigner, murmure Olga en caressant le fin museau.

— Non, c'est le signe du rachat, fait remarquer le lion.
— Le signe du rachat ?
— Oui, mais c'est bien compliqué à expliquer à une petite fille.
— Beaucoup trop compliqué », confirme l'aigle.

Olga est un peu vexée. S'ils croient que, sur terre, les choses sont simples !... Comme elle est honnête, elle reconnaît volontiers qu'elle ne comprend pas vraiment ce qui se passe en bas. Les grandes personnes non plus, d'ailleurs, qui ne savent pas empêcher les guerres, combattre les famines ou les maladies. Elles parlent, elles parlent... À la télévision, des messieurs et des dames à l'air important s'expriment avec de grands gestes en hochant gravement la tête, commentant des images horribles de bombardements, d'incendies, de tueries. C'est en grande partie à cause de tout cela qu'Olga a voulu partir.

Ici, au moins, ça ne ressemble en rien à ce qu'elle connaît. Des innombrables yeux des Quatre Vivants et de l'Agneau émanent des regards bienveillants. Le lion a une bonne tête, pas féroce du tout, le taureau un air très doux, le visage du jeune homme est beau, et l'aigle n'a nullement l'aspect cruel des rapaces de son livre de sciences naturelles. Même l'Agneau égorgé ne lui fait pas peur, tant il paraît trouver tout naturel d'avoir la gorge béante et, surtout, de ne pas en souffrir.

À présent, Olga est tout à fait habituée à eux, ils s'amusent à se poursuivre dans le ciel, cabriolant, plongeant, remontant, tournoyant sur eux-mêmes, accompagnés par les yeux qui battent des paupières. D'une voix forte, le lion lui dit :
« Viens et vois ! »

Un prince (ce doit être un prince, puisqu'il porte une couronne), monté sur un cheval blanc, passe.
« Viens et vois ! » lui dit le jeune taureau.

Un cheval roux portant un cavalier armé d'une grande épée passe.
« Viens et vois ! » fait la tête.

Cette fois, le cheval est noir et celui qui le monte porte une balance.
« Viens et vois ! » lance à son tour l'aigle.

Cheval et cavalier sont très pâles ; comme les autres, ils passent, suivis par un squelette rigolo.
« Pourquoi me montrez-vous cela ? Où vont-ils ?
— Ils vont là où Celui qui sait les appelle.
— Qui est Celui qui sait ?
— Son nom ne doit pas être prononcé.
— C'est idiot, votre truc. Vous dites n'importe quoi, comme sur la Terre. »

Olga s'éloigne, de méchante humeur.

Pendant un moment, elle vole sans se soucier de ses compagnons. Quand elle se retourne, l'Agneau et les Quatre Vivants ont disparu.
« Où êtes-vous ? » crie-t-elle.

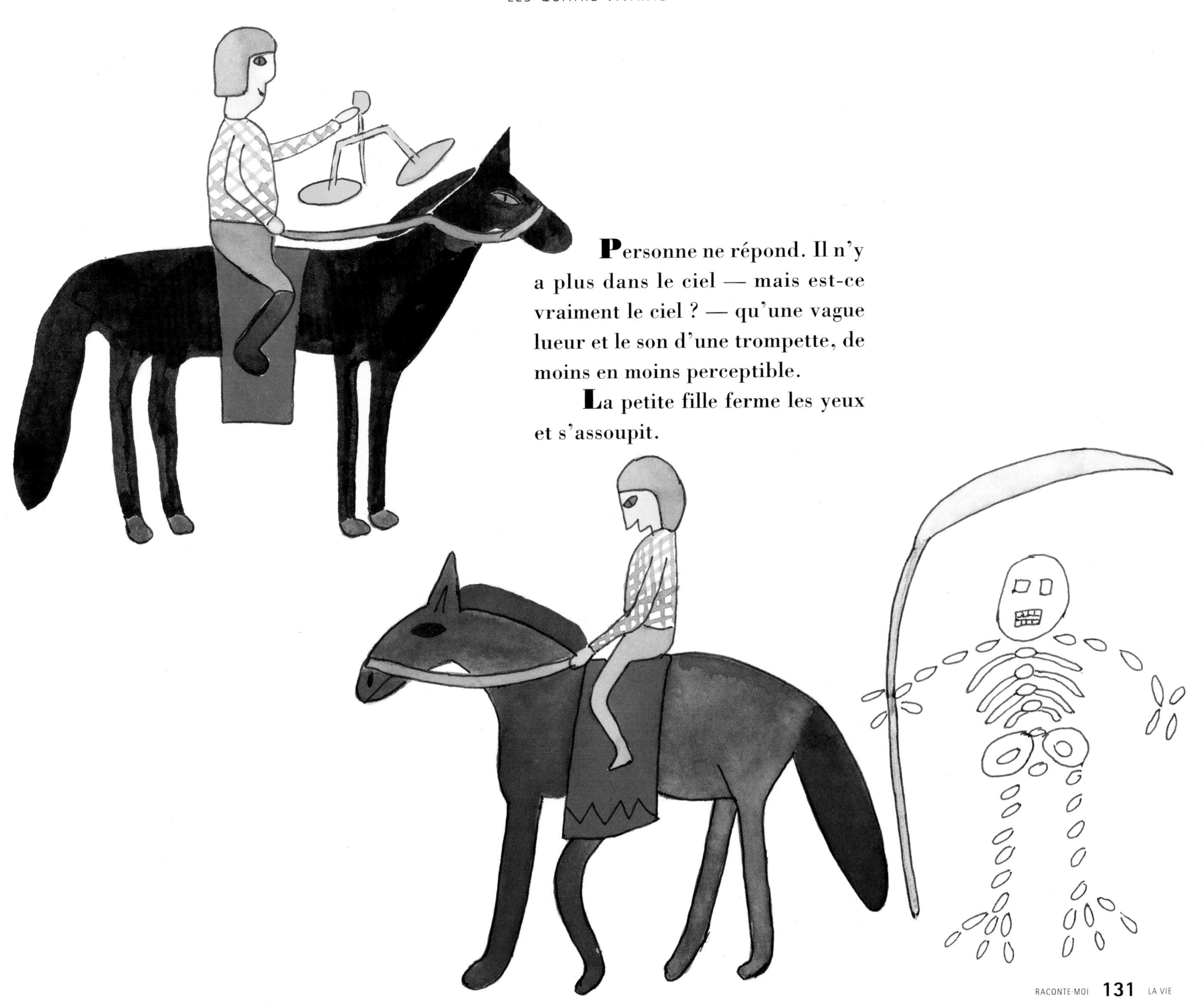

Personne ne répond. Il n'y a plus dans le ciel — mais est-ce vraiment le ciel ? — qu'une vague lueur et le son d'une trompette, de moins en moins perceptible.

La petite fille ferme les yeux et s'assoupit.

Elle rouvre les yeux sur un immense dragon rouge à sept têtes couronnées, qui se bat contre des anges dont l'un s'appelle Michel. Ce doit être le chef, car il se tient toujours en avant. Malgré les flammes crachées par les sept têtes, Michel chasse le Dragon.

Recroquevillée sur elle-même, Olga tremble. D'un petit coup d'aile, Michel s'approche :
« N'aie plus peur, je l'ai chassé. Lui et ses mauvais anges sont maintenant sur la Terre.
— Sur la Terre ?
— Oui. Ici, tu ne risques rien. Mais quel ange es-tu ? Je ne t'ai jamais vue auparavant.
— Je ne suis pas un ange. Je ne suis qu'une petite fille », répond-elle en éclatant en sanglots.

Michel a l'air stupéfait.
« Mais que fais-tu ici, si tu n'es pas un ange ?
— J'ai voulu partir, parce que je m'ennuyais sur la Terre.
— Comme je te comprends ! Les humains sont si sots, ils ne savent qu'inventer pour se rendre malheureux. Pourtant, la Terre est belle et bonne. Il y a des forêts pleines d'oiseaux et d'animaux, des montagnes enneigées, des rivières poissonneuses, des mers, des océans, des fruits, des fleurs, le soleil et la pluie, l'arc-en-ciel après l'orage, l'odeur de l'herbe mouillée, du feu de bois, des confitures, les rires des enfants, les baisers des mères... Pourquoi pleures-tu ?
— Je veux retourner sur terre, malgré le Dragon. »

Michel la regarde en hochant la tête.
« Viens et vois ! »

Elle voit, venant de la Terre, une bête semblable à un léopard à sept têtes et dix cornes, toutes ornées d'un diadème avec, au-dessus des sept têtes, des mots comme autant de blasphèmes : guerre, haine, meurtre, épidémie, racisme, vengeance, famine. Le Dragon lui a insufflé sa force et sa puissance mauvaise.

« Vois ce qu'il te faudra combattre si tu retournes sur la Terre.

— Je vois, mais j'ai confiance, je trouverai des garçons et des filles pour chasser le Dragon, la Bête et leurs blasphèmes.

— Il vous faudra beaucoup d'amour…

— Nous le trouverons. Tu m'as montré combien la Terre était belle et généreuse. Je m'en souviendrai et j'irai vers les autres le cœur confiant, en leur disant :
« Unissons-nous pour chasser la Bête immonde, toutes ces bêtes qui veulent nous empêcher de trouver la paix et le bonheur ! »

— Alors, va, petite fille, rejoins les tiens. Ton nom est inscrit dans le LIVRE DE VIE. »

« Olga, Olga, réveille-toi ! »

Se découpant dans le ciel, un joli visage lui sourit.

« Maman, le monde est si beau et je t'aime tant ! » s'écrie-t-elle en se blottissant contre sa mère. [1]

[1] C'est à l'*Apocalypse* de saint Jean que j'ai emprunté les Quatre Vivants, la Bête et le Dragon.

LE MARIAGE DE MADAME CIGOGNE

LE MARIAGE DE MADAME CIGOGNE
LE MARIAGE DE MADAME CIGOGNE
LE MARIAGE DE MADAME CIGOGNE
LE MARIAGE DE MADAME CIGOGNE

BERNARD CLAVEL

Il y avait, à Strasbourg, une cigogne réputée pour son mauvais caractère. D'un orgueil incroyable, elle regardait tout d'un œil méprisant, se figurant toujours que le monde entier béait d'admiration devant son plumage blanc et noir, ses longues pattes et son bec rouges. Elle marchait comme sur des charbons ardents. Comble de prétention : elle exigeait qu'on l'appelle Madame Cigogne, avec une majuscule. Elle avait même, durant quelque temps, voulu qu'on écrive son nom avec un y à la place du i. Mais là, personne n'avait marché. Mortifiée par cet échec, elle semblait en vouloir à la terre entière.

Madame Cigogne allait partout en répétant :
« Moi, je sais tout. Je connais tout. Je suis la plus forte, la plus belle et la plus intelligente. »

Les autres rigolaient, mais en cachette. Car Madame Cigogne était, c'est exact, d'une force peu commune. Un mètre cinquante, avec un bec aussi solide que l'épée dont Roland s'est servi à Roncevaux. Nul ne se serait risqué à la regarder de travers.

Comme arrivait la fin des beaux jours, toute la communauté des cigognes se prépara pour prendre la direction des cieux de soleil. On se dérouillait les ailes en tournoyant au-dessus de la ville. On entraînait les jeunes. À toutes celles qui n'avaient encore jamais accompli ce long voyage, on expliquait ce que la route pouvait réserver de surprises. Surtout, on les obligeait à voler chaque jour plus haut et plus loin.

Pour elles, c'était déjà merveilleux de voir la ville si petite avec sa minuscule cathédrale. Sur la place, les passants prenaient des allures de pucerons.

Madame Cigogne ne bougeait pas. Perchée sur une cheminée de la maison Kammerzell, elle observait ce remue-ménage d'un œil méprisant.

Un soir, une très vieille voisine lui demanda :

« Et toi, tu ne te prépares pas ? »

Madame Cigogne gonfla son jabot, prit son air le plus pincé et lança :

« Moi, cette année, je partirai seule. Bien après le troupeau. N'empêche que j'arriverai bonne première. C'est couru d'avance ! »

L'autre se garda bien de répondre.

Les jours passèrent, vint enfin l'aube du grand départ. Toute la ville se trouvait dans les rues et aux fenêtres pour assister au spectacle.

Les oiseaux s'élevaient par groupes de six ou douze, formaient un grand V dans le ciel pour piquer tout de suite plein sud.

Tous s'envolèrent.

Tous, excepté Madame Cigogne qui demeurait figée sur sa cheminée.

Les gens disaient :

« Elle est malade !

— Mais non, c'est une fausse cigogne !

— Elle est en porcelaine.

— Allez-vous finir par m'écouter ? Elle est empaillée !

— Hé oui ! elle a été posée là par le patron du restaurant.

— Voyons donc ! c'est un coup du syndicat d'initiative ! »

Une puce se mit à piquer Madame Cigogne qui fourra son bec sous son aile gauche pour se gratter. En bas, il y eut une rumeur.

« C'est une vraie !

— Qu'est-ce qu'elle attend ?

— Elle ne peut plus voler.

— Elle est trop vieille.

— Elle est malade, je vous dis ! »

Agacée par tous ces commentaires, Madame Cigogne fléchit légèrement les genoux et prit son vol pour aller se percher sur une gargouille de la cathédrale. Au passage, elle laissa tomber une belle fiente sur quatre grosses dames qui sortaient du salon de thé.

Tout le monde continuait de se demander pour quelle raison elle n'avait pas pris part à la migration d'automne. Madame Cigogne, très fière de l'intérêt qu'on lui portait, se rengorgeait.

Cela dura deux longues semaines. Madame Cigogne ne parvenait pas à s'arracher à sa ville.

Il y eut quelques pluies très froides, des brouillards givrants et de fortes gelées blanches.

Ce fut ce qui finit par la décider.

Un matin, profitant de l'heure où les enfants se rendaient à l'école, Madame Cigogne s'éleva vers les nuages. Elle volait lentement, avec majesté, sans cesser de jeter des regards vers le bas, persuadée que des milliers de personnes l'admiraient. Déjà, elle était bien trop loin pour les entendre.

« Pas trop tôt qu'elle se décide, cette paresseuse.

— Une idiote, oui ! Elle n'y arrivera pas.

— Et toute seule, si c'est pas stupide ! »

Madame Cigogne volait bien au-dessus de tout cela.

Le premier jour de son voyage ne fut pas désagréable du tout. Elle remonta tranquillement le cours du Rhin. D'habitude, lorsqu'elle partait avec les autres, elles piquaient droit vers l'Espagne qu'elles traversaient du nord au sud pour atteindre le Maroc qui est le paradis des cigognes.

Mais, bien plus maligne que les autres, Madame Cigogne s'était mis en tête de traverser la Suisse, de visiter l'Italie, la Corse, la Sardaigne, la Sicile et la Tunisie. Programme ambitieux. Cependant, elle se disait avec un petit air supérieur :

« Après ça, on verra ! »

Certes, pour en voir, elle allait en voir !

Tant qu'elle survola la vallée de ce fleuve qu'elle connaissait bien, Madame Cigogne ne rencontra aucune difficulté. Dès qu'elle se sentait un petit creux à l'estomac, elle piquait vers une courbe de la rive où les eaux n'étaient pas trop vives et, fouillant le fond de son long bec, elle avait vite fait de prendre quelques poissons qu'elle engloutissait en un rien de temps.

C'est au cours d'une de ces parties de pêche qu'elle fit une rencontre qui, sur l'instant, lui causa un choc.

Alors qu'elle contournait une touffe de roseaux, elle se trouva bec à bec avec son contraire.

Son contraire. Parfaitement !

Seuls le bec et les pattes de son vis-à-vis étaient de la même forme et de la même couleur que les siens, mais, pour le reste, le malotru avait des plumes blanches où elle les avait noires et vice versa.

Interloqués l'un et l'autre, les deux échassiers se dévisagèrent un moment en silence. Puis, Madame Cigogne demanda :

« Qui es-tu ? »

D'une voix plus grave que la sienne, il se présenta :

« Je me nomme Monsieur Cigogneau, et toi ?

— Je suis Madame Cigogne. »

Elle ajouta avec un ricanement très méprisant :

« Permets-moi de te faire remarquer que tu es habillé à l'envers.

— Qu'est-ce que tu me chantes, c'est toi qui es ridicule avec tout ce blanc partout et juste ces rémiges noires. Absolument grotesque !

— Tu n'y connais rien. C'est la dernière mode. »

Ils se chamaillèrent un bon moment. Jamais personne n'avait osé tenir tête de la sorte à Madame Cigogne que l'irritation gagnait. À la fin, sa colère l'étrangla et elle se mit à pleurer.

Et le pauvre Monsieur Cigogneau ne savait plus que faire pour la consoler.

« Calme-toi, je t'en prie. Tu es la plus belle ! Pardonne-moi… »

Il en bafouillait de confusion. Il alla pêcher une carpe d'un bon kilo qu'il posa devant elle :

« Tiens, je t'en attraperai tant que tu voudras. »

Encore sous le coup de la colère, Madame Cigogne trouva la force de bouder contre son ventre.

« J'aime pas la carpe, grommela-t-elle. Ça me donne des boutons.

— Qu'est-ce que tu aimes ?

— Tout sauf la carpe. »

Monsieur Cigogneau lui apporta bientôt un énorme gardon frétillant. Elle regarda la bestiole faire des bonds sur l'herbe en battant de la queue.

« Il a des yeux qui ne me plaisent pas.

— Toi alors, tu es difficile !

— Je suis comme je suis. Cherche-moi un poisson à ma convenance. »

Il pêcha longtemps avant de ramener une truite

splendide. Cette fois, Madame Cigogne, qui avait une faim de loup, s'en saisit de suite et l'avala toute frétillante avant de minauder en guise de remerciement :

« Si tu pouvais trouver sa sœur... »

Le pêcheur n'en revenait pas. Cependant, parce qu'il commençait à se sentir un peu épris de Madame Cigogne, il se remit à la tâche. Comme il tenait à trouver exactement la même truite, il dut en prendre pas mal avant d'y parvenir. Naturellement, soucieux de ne rien gaspiller, il avalait tout ce qui ne lui semblait pas convenable.

Dès que Madame Cigogne fut repue, elle parla de poursuivre son chemin. Sans même s'être enquis de sa destination, Monsieur Cigogneau déclara :

« Je vais avec toi. »

Elle prit un air scandalisé.

« Avec moi ? Mais ce ne serait pas convenable. Nous ne sommes pas mariés.

— Qu'à cela ne tienne, marions-nous.

— Comme tu y vas !

— Je suis amoureux de toi, je t'épouse. »

Madame Cigogne, qui avait encore sur la langue le goût des truites, pensa qu'après tout elle ne faisait pas une si mauvaise affaire.

Ils se marièrent dans l'heure.

Chez les cigognes, c'est une chose qui se fait sans formalités. Elle était déjà en robe blanche et lui en habit noir, alors...

Ils s'envolèrent pour leur voyage de noces.

Monsieur Cigogneau prit la tête. Aussitôt, sa compagne lui cria :

« Pas question ! C'est moi qui conduis. Je passe devant ! »

Docile, il ralentit et se mit à voler derrière sa femme.

Ils arrivèrent très vite au-dessus de la frontière suisse d'où s'envola une patrouille de six faucons hobereaux dont le chef les interpella sèchement :

« Où allez-vous ?

— En Italie.

— Papiers !

— Qu'est-ce que vous dites ?

— Passeports. Avez-vous de l'argent ?

— Rien du tout.

— Alors, passez au large.

— Mais on ne fait que traverser.

— Pas de discussion, vite, hors nos frontières ! »

Ils obliquèrent à droite et Monsieur Cigogneau fit observer :

« Si nous avions pris la route que tout le monde... »

Il ne put terminer. Parlant aussi sec que les faucons douaniers, sa compagne lança :

« Toi, ne commence pas à récriminer. Suis-moi et tais-toi. »

Il se remit à voler en silence.

Guère longtemps. Alors qu'ils voyaient se dérouler les méandres du Doubs, sinuant et cascadant entre les falaises du Jura, une patrouille de six busards cendrés placés sous les ordres d'un milan royal les arrêta.

« Route interdite ! fit le chef dont l'œil jaune lançait des éclairs. Espace militaire, grandes manœuvres. Foutez-moi le camp.

— Mais où faut-il aller ?

— N'importe où sauf ici. »

Ils obliquèrent encore vers l'ouest et aperçurent bientôt les vignobles dorés d'Arbois. À peine s'en approchaient-ils qu'une douzaine de crécelles à tête grise et à dos roux les obligèrent à rebrousser chemin.

« Interdiction de survoler le vignoble en période de vendanges. Déguerpissez. »

Monsieur Cigogneau commençait à en avoir assez.

« Tout de même, fit-il, quelle route tu nous as fait prendre !

— Ah ! tu ne la trouves pas à ton goût. Personne ne t'empêche de faire mieux. Allez, passe devant. »

Il s'exécuta non sans avoir fait remarquer :

« Facile ! À présent que tu nous as fichus dans le pétrin, à moi de nous en sortir. »

Madame Cigogne fit exactement comme si elle n'avait rien entendu et le laissa se débrouiller. Comme il commençait de se sentir un creux à l'estomac, il piqua droit sur le premier étang qu'il vit miroiter.

À peine venaient-ils de se poser sur la rive qu'un bruit de brindilles brisées les inquiéta. D'une touffe de roseaux sortit un commando de hérons grands butors qui les encercla. Le chef lança d'une voix rauque :

« Qu'est-ce qu'on fait là ?

— On veut juste casser une petite croûte, fit timidement Madame Cigogne.

— Pêche et chasse réservées au Président. Vous n'avez pas lu les panneaux ? »

Ils n'avaient rien vu du tout et tentèrent d'expliquer qu'ils arrivaient du ciel. Le chef ne voulait rien entendre.

« C'est la consigne. Moi, je ne connais rien d'autre. Filez ! »

La faim les tourmentait à tel point qu'ils éprouvaient des difficultés à voler.

Bientôt, ils virent un champ où un tracteur avançait en retournant la terre. Derrière, quelques centaines de mouettes et de corbeaux piquaient les vers et les larves.

« Je n'aime pas beaucoup ça, fit Monsieur Cigogneau, mais faute de mieux… »

À peine avaient-ils pu engloutir quelques bouchées que toute la troupe leur tombait sur le dos en piaillant des insultes :

« Voleurs ! Foutez le camp d'ici ! Qu'est-ce que vous faites sur nos terres ? »

Les coups de bec se mirent à pleuvoir si fort que le couple manqua être assommé.

« Décidément, quelle route !

— Le monde n'est peuplé que de brutes. »

Comme la nuit approchait, ils allèrent se percher sur le toit d'une ferme.

« Au moins, dit Madame Cigogne, on pourra dormir. N'empêche que j'ai faim. »

Elle n'avait pas parlé très fort, mais assez pour que le chien attaché dans la cour l'entendît. Il se mit à hurler comme un forcené. Le fermier sortit avec son fusil, brailla lui aussi et tira en l'air. Sans se concerter, le couple s'envola.

« Quel univers ! »

Ils volèrent un long moment dans l'obscurité avant de se poser à la cime d'un peuplier.

« À présent, grogna Monsieur Cigogneau, on ne sait même plus où on est.

— Tiens ! railla-t-elle, je croyais que ton sens de l'orientation ne te trahissait jamais.

— Tu peux rigoler. Si nous avions suivi la route habituelle...

— Si tu voulais épouser Madame Tout-le-Monde, tu n'avais qu'à t'adresser ailleurs. »

Excédé et très fatigué, son mari répliqua :

« Je commence à me demander si je n'aurais pas mieux fait de rester célibataire.

— Ah, c'est comme ça, eh bien, adieu ! »

Sans lui laisser le temps de répondre, elle prit son vol.

La nuit était très noire. Une obscurité telle qu'on aurait cru voler dans un sac de charbon. Monsieur Cigogneau n'avait même pas pu voir dans quelle direction sa compagne s'était enfuie. Il était épuisé, à bout de nerfs, mais toujours follement épris. Il se mit à tourner en rond dans la nuit en implorant :

« Reviens, je t'en supplie, reviens ! Je t'aime... Pardonne-moi encore une fois ! »

Sa femme n'était pas allée bien loin. Cachée dans une touffe de roseaux à moins de cent pas du peuplier, elle le suivait des oreilles, si l'on peut dire, et riait en silence. Elle pensait :

« Ah, tu n'as pas été patient avec moi. Eh bien, cherche. Quand tu m'auras trouvée, on verra. »

Le pauvre continuait de tourner. À plusieurs reprises, il se cogna contre des arbres.

« Réponds-moi, je ne sais plus où je suis. »

Elle s'amusait à l'écouter, quand soudain, alors qu'elle pataugeait dans la vase, elle sentit un énorme reptile qui s'enroulait autour de ses pattes. Elle lui donna un grand coup de bec en se félicitant d'avoir trouvé un excellent repas tout prêt, mais l'animal était tellement coriace qu'elle ne put rien contre sa peau. Cherchant à se dégager, plus elle remuait, plus le serpent resserrait sa prise.

Elle prit peur.

« Au secours ! Au secours !

— Où es-tu ?

— Ici !

— Où ça ?

— Là !

— Je ne te vois pas !

— Vite ! Le boa va m'avaler vivante ! »

Monsieur Cigogneau essayait de la repérer. En vain. Elle continuait de battre des ailes en hurlant. Par chance, les nuées se déchirèrent et la lune coula un regard d'argent vers l'étang. Monsieur Cigogneau piqua droit sur sa compagne. Il se moquait du danger. Même si les pattes de Madame Cigogne s'étaient trouvées dans la gueule du monstre du loch Ness, il n'eût pas hésité une seconde.

Dès qu'il fut près d'elle, il attaqua. D'un coup de bec magistral il piqua le boa. Il le trouva très résistant et l'empoigna pour tirer dessus. Puis, le lâchant soudain, il partit d'un éclat de rire qui éveilla les échos de la nuit.

« Tu es fou ! cria sa femme.

— Regarde donc, tu es prise dans une vieille chambre à air de vélo ! »

Et il riait à en perdre le souffle. Mortifiée, rouge de honte, Madame Cigogne l'aurait giflé. Mais elle avait encore besoin de lui pour se tirer de ce piège. Dès qu'il l'en eut sortie, au lieu de le remercier, elle lança :

« Tu y as mis le temps. J'aurais bien pu mourir étranglée par ce...

— On n'a jamais vu un bout de caoutchouc dévorer un oiseau. »

Elle était hors de ses gonds :

« Tais-toi, fit-elle. Le monstre, c'est toi ! »

Et sa voix fut enrouée par un énorme sanglot.

Son compagnon l'aimait trop pour lui en vouloir. Il se mit à la cajoler et à lui murmurer des mots doux.

La lune se cacha. Ils n'avaient plus besoin de lumière.

Le lendemain matin, alors que Madame Cigogne faisait la grasse matinée, Monsieur Cigogneau profita qu'ils se trouvaient au bord d'un étang pour aller chercher un bon petit déjeuner. Les carpes étaient belles, leur chair bien tendre et juteuse à souhait.

À peine en avait-il présenté deux à Madame Cigogne que des pêcheurs se pointaient. Furieux qu'on leur prenne leur poisson, ils se mirent à lancer des pierres aux époux qui durent s'envoler.

Monsieur Cigogneau n'avait rien mangé.

Fort heureusement, ils étaient dans une région où les étangs sont nombreux. Ils en avisèrent un autre où ils se mirent à pêcher tous les deux.

À l'ombre d'un saule, un vieillard s'était assoupi après avoir tendu ses lignes. Cruel parmi les cruels, il pêchait au vif : c'est-à-dire qu'il avait accroché comme appât, au bout de son fil, un goujon vivant bardé d'hameçons.

Bien entendu, ce fut ce poisson-là que Madame Cigogne repéra. Elle l'engloutit et se trouva prise comme un vulgaire brochet. Réveillé par le grelot de sa gaule, l'homme se mit à tourner la manivelle d'un moulinet qui tira la malheureuse cigogne.

« Au hecours ! criait-elle ! Ha fait hal ! »

Monsieur Cigogneau n'hésita pas : il fallait couper le fil. Prenant son élan, il arriva le bec grand ouvert. Et clac ! Comme une paire de ciseaux.

Le vieux n'en croyait pas ses yeux.

« Ça alors, bredouillait-il..., je rêve. Ça n'est pas possible autrement. »

Il n'osa jamais conter sa mésaventure de crainte d'être la risée de tous les pêcheurs de la région.

Madame Cigogne mit quatre jours à digérer le goujon bardé d'hameçons et les deux mètres de fil qui lui pendaient du bec. Ce n'était pas pour la mettre de bonne humeur.

À peine tirée d'affaire, elle réclama à manger. Monsieur Cigogneau s'empressa. Première prise : un goujon tout frétillant.

« Merci bien ! lança-t-elle. Le goujon, j'en suis dégoûtée pour le restant de mes jours. »

Après tant de mésaventures, ils reprirent la route. Monsieur Cigogneau voulait piquer droit vers le Maroc, mais Madame Cigogne, une fois de plus, l'obligea à prendre une autre direction.

« Je veux absolument voir Venise », dit-elle sur un ton qui n'admettait pas la réplique.

Ils piquèrent droit sur Venise.

À la frontière italienne, un vol de milans douaniers les arrêta.

« Nous sommes en voyage de noces, déclara Monsieur Cigogneau.

— Oh ! veuillez nous excuser... Passez ! »

Et le chef des milans douaniers appela le rossignol napolitain pour qu'il leur fasse un bout de conduite en musique. Ce fonctionnaire si aimable proposa même de les escorter, mais, au regard qu'il lança à sa femme, Monsieur Cigogneau comprit tout de suite qu'il était plus prudent de se passer de ses services.

En deux jours ils furent à Venise.

Quel émerveillement ! De l'eau partout. Du soleil. Des chansons. Surtout, du poisson en abondance.

Comme personne n'avait jamais vu de cigogne dans cette ville, l'arrivée du couple fit sensation.

« C'est le bonheur assuré, quoi ! »

Tout le monde riait à gondole secouée.

Les gens étaient tellement heureux de cette visite inattendue que le couple n'avait plus à pêcher pour se nourrir. Dès que l'ombre des jeunes mariés paraissait sur un quai, vingt personnes se précipitaient avec des paniers de victuailles. Ça allait des merveilleux poissons aux pâtisseries les plus fines.

« À ce régime, soupirait Madame Cigogne, ma ligne est foutue. »

Il est de fait que tous les deux engraissaient à tel point qu'il leur fut bientôt impossible de s'envoler. Ils se promenaient un peu le long des canaux où l'on continuait de les gaver.

Un mois plus tard, ils avaient l'air de deux énormes oies montées sur des pattes qui menaçaient de se briser sous de pareilles masses.

Tout le monde s'extasiait. Les Italiens s'exclamaient :

« Ma Bella ! Bellissima ! »

Les Allemands répliquaient :

« Cheun Matemoiçelle ! »

Les Françaises prenaient des mines horrifiées. Les Américains demandaient si l'on tournait un dessin animé. Et les rois du pétrole voulaient la recette pour leurs épouses.

Madame Cigogne était toujours très satisfaite de réunir tant d'admirateurs. Cependant, il lui semblait parfois qu'on se moquait de son embonpoint.

Un jour, un héron cendré d'une élégance suprême vint à passer par là. Voyant le couple, il s'esclaffa.

« Qu'est-ce qui t'amuse tant ? questionna Madame Cigogne.

— La couleur mise à part, vous avez l'air de deux citrouilles plantées sur des piquets. »

Furieux, ils voulurent le corriger. Mais le héron s'envola avec grâce. Essayant de le poursuivre, Madame Cigogne tomba à l'eau. Sa chute souleva une telle joie chez les gondoliers qu'elle décida de quitter sans tarder la Cité des Doges. Comme il se doit, Monsieur Cigogneau s'empressa de la suivre.

Ils s'en allèrent à pied.

Il y eut beaucoup de monde pour assister à leur départ.

Une fois hors de la ville, ils s'arrêtèrent pour respirer.

« Où allons-nous ? s'informa Monsieur Cigogneau.

— Où veux-tu aller ? On rentre chez nous. C'est encore là qu'on est le mieux. »

Comme ils ne mangeaient pas grand-chose et prenaient beaucoup d'exercice, après huit jours de marche, ils purent de nouveau voler.

Ce fut un grand bonheur pour eux que de revoir la terre de haut, avec ses maisons minuscules et ses autos qui semblaient des files de fourmis.

Ils atteignirent Strasbourg bien avant les autres. Et, comme les premières cigognes annoncent toujours le printemps, on les salua avec force fanfares et acclamations.

Méprisant tout ce tapage, ils s'installèrent au sommet d'une cheminée où ils commencèrent à faire leur nid. De temps en temps, ils parlaient de leur voyage et de Venise.

« Quel beau souvenir ! disait Madame Cigogne, l'œil légèrement embué.

— N'empêche que je n'ai aucune envie d'y retourner.

— Moi non plus. Seulement ça nous fera des choses à raconter à nos enfants. »

Et ils se tenaient tous les deux blottis sur leur nid, à couver des œufs dont ils se demandaient si les petits qui en sortiraient seraient noir et blanc ou blanc et noir.

OGNE

Ce livre n'aurait pu voir le jour sans la participation gracieuse et le soutien amical de :

PIERRE ASSOULINE

TAHAR BEN JELLOUN
MÉRIÈME BEN JELLOUN
illustrations

JEANNE BOURIN

BERNARD CLAVEL

RÉGINE DEFORGES

ALEXANDRE JARDIN

J.-M. G. LE CLÉZIO
TAMIYO KEMBÉ
illustrations

PATRICK MODIANO
ZINA MODIANO
illustrations

ÉRIK ORSENNA

CLAUDE ROY

JACQUES DE LOUSTAL
illustration de couverture

PROFESSEUR MONTAGNIER
FONDATION MONDIALE RECHERCHE ET PRÉVENTION SIDA
PROFESSEUR GRISCELLI
CENTRE INTERNATIONAL DE L'ENFANCE

THE WALT DISNEY COMPANY FRANCE
HACHETTE LIVRE
Fabrication - Distribution - Grande Diffusion

DISNEY HACHETTE PRESSE
FRANCE INFO
TF1

HUGO CAREL
lecture-correction

ÉTIENNE HÉNOCQ ET FRANÇOIS HUERTAS
conception graphique et mise en pages

BOUTAUX, Villemonble
pelliculage

BRODARD & TAUPIN, La Flèche
impression de la couverture

CANALE, Turin
impression de l'intérieur

CARTIERA DI SAREGO, Vicenza
papier intérieur

EURESYS, Baisieux
photogravure de l'intérieur

INTEGRAL GRAPHIC, Paris
photogravure de la couverture

S.I.R.C., Marigny-le-Châtel
brochage

SOCIÉTÉ NOUVELLE GOURGUES, Maurepas
conditionnement

STORA BILLERUD CARTON, Puteaux
papier de couverture

Achevé d'imprimer en Italie par CANALE, Turin.
Dépôt légal : Novembre 1994 n° 3904
46.43.1078.01/8
I.S.B.N. 2.23.000431.X
Loi n° 49.956 du 16 juillet 1949 sur les publications destinées à la jeunesse.